마중글 책쓰기 프로젝트
아이들, 책과 사랑에 빠지다!

마중글
책사랑
No.11

꿈을 만드는 오페라 하우스

꿈나라 드림타운

글 정이령 수석교사 정민수

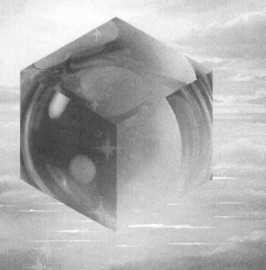

꿈나라 드림타운

발 행 2024년 5월 8일
저 자 정이령 (수석교사 정민수)
펴낸이 한건희
펴낸곳 주식회사 부크크
출판사등록 2014.07.15.(제2014-16호)
주 소 서울특별시 금천구 가산디지털1로 119 SK트윈타워 A동 305호
전 화 1670-8316
이메일 info@bookk.co.kr

ISBN 979-11-410-8414-1

www.bookk.co.kr

꿈나라 드림타운

꿈을 만드는 오페라 하우스

글 정이령
수석교사 정민수

Content

Character
등장인물

🔹 주디 여/ 24살

- •직업: 클라우드 오페라 하우스의 신입생 스태프
- •성격: 밝고 명랑하다.
- •특징: 시골에서 태어난 소녀다. 공부를 열심히 하고, 자신이 맡은 일에 최선을 다한다. 항상 긍정적이고 밝은 모습으로 다른 스태프들을 미소 짓게 한다. 이 팀의 분위기 메이커.

🔹 엠마 여/ 24살

- •직업: 클라우드 오페라 하우스 스태프
- •성격: 모험심과 승부욕이 강하다. 불의를 못 참는 성격이다.
- •특징: 자유로운 빵집 소녀. 점차 주디와 절친이 되어간다. 세바스찬과 정반대의 성격이다. 꼼꼼한 성격의 관리자.

🔹 제임스 남/ 24살

- •직업: 클라우드 오페라 하우스 스태프
- •성격: 차분하고 무뚝뚝하다.
- •특징: 부잣집 아들이다. 항상 엠마와 세바스찬의 싸움을 말리기 때문에, 이 팀의 평화주의자이다. 또 다른 특징으로는, 암벽등반을 좋아한다는 것이다.

세바스찬 남/ 24살

- 직업: 클라우드 오페라 하우스 스태프
- 성격: 장난하는 것을 좋아한다.
- 특징: 이 팀의 장난꾸러기. 엠마와 자주 의견 갈등이 있다. 하지만 모두를 깜짝 놀라게 하는 아이디어를 생각해낼 때도 가끔씩 있다.

그 외의 인물들

아르만도 관장

- 클라우드 오페라 하우스의 관장이자 셋째의 후손이다.

에스더 팀장

- 주디, 엠마, 제임스, 세바스찬이 속해 있는 8번 구역의 딱딱하지만 꼼꼼한 팀장이다.

줄거리

꿈나라 드림타운에 있는 클라우드 오페라 하우스. 잠이 든 사람들은 모두 이곳으로 와 오페라나 뮤지컬을 보고 꿈을 꾼다. 하지만 뮤지컬을 본 것을 제외한 이곳에서 있었던 일은 기억되지 않는다는 사실! 이 이야기의 주인공 '주디'는 어렸을 때부터 드림 메이커라는 큰 꿈을 꾸게 된다. 주디는 24살이 되어 드림타운 국립대학교 꿈창조학과를 수석으로 졸업하고, 드림 메이커라는 꿈을 이뤄내기 위해 클라우드 오페라 하우스에서 일하기 시작한다.

그녀가 일하기 시작한 곳은 8구역 24그룹! 민원상담도 하고, 비밀통로도 알아내고, 동료 친구와 여행도 가면서 클라우드 오페라 하우스에 대해 점차 알아가는 데, 갑자기 닥쳐온 시련..! 마법의 강이 오염되었다! 강이 오염되면, 꿈나라에서 가장 중요한 매직큐브를 만들 수 없다.. 매직큐브란, 손님들의 오페라를 본 뒤의 소감이나 느낌을 품은 정육면체 모양의 마법큐브다. 주디는 친구들과 함께 문제의 원인을 찾기 위해 마법의 강의 물줄기가 생기는 곳인 마리안 골짜기로 모험을 떠난다. 그곳에서 그녀와 친구들은 아주 놀라운 일을 겪게 된다. 과연 그녀는 문제를 해결하고, 연말 꿈 대회에서 우승할 수 있을까?

prologue
프롤로그

꿈나라 사람들의 집에는 정말 없는 사람이 없을 정도로 유명한 책 한 권이 있다. 물론 이 이야기의 내용을 모르는 사람도 없다. 지상 세계에서는 신데렐라나 피노키오 같은 책이라고 보면 될 것 같다.

지금 시간은 밤 12시.

한밤중에 그 책을 읽어주는 한 여자아이의 엄마와 이 책의 주인공이 될 여자아이 '주디'의 이야기를 시작하겠다.

"주디, 왜 이렇게 안 자니.. 빨리 자야 키가 크지. 다른 또래 아이들은 모두 9시에 잔다더라."

여자아이의 엄마가 걱정스러운 말투로 말했다.

"그래도 이야기 해주세요! 그거 안 듣고는 못자겠단 말이에요."

여자아이가 얼굴만 빼고 이불을 덮은 채 또랑또랑한 눈으로 엄마를 쳐다보며 말했다. 밤을 셀 기세였다.

"그래.. 알겠다, 주디. 매일 들어도 안 질리니?"

엄마는 깊은 한숨을 내쉬며 말했다.

"그럼요. 빨리 이야기 해주세요.."

아이가 엄마를 재촉했다. 이 아이는 항상 이 이야기를 듣고 잤다. 그리고 여러 가지 생각들을 했다. 어른이 됐을 때 드림 메이커가 되어 꿈을 만드는 상상, 그 꿈을 꾸고 진심으로 기뻐하는 사람들. 그것이 이 아이가 이 이야기를 듣는 이유였다.

"그래."

아이의 엄마가 언제 걱정 했냐는 듯 누구보다도 부드럽게, 이야기를 시작했다.

"옛날옛날에, 하늘의 신이 살았단다. 하늘나라 사람들은 걱정 없이 행복하게 살았어. 그곳의 왕 하늘의 신도 그의 가족들과 행복한 나날들을 보냈지. 하늘의 신에게는 세 아들이 있었어. 그의 아들들 모두 그를 닮아 영특했지. 그러던 어느 날, 하늘의 신은 자신이 점점 기력이 떨어지고 머리가 아파지는 것을 깨닫자, 그의 세 아들에게 세상을 나누어 주었어. 하늘의 신은 고심 끝에, 실용성을 추구하는 첫째에게는 지상을, 야망이 있는 둘째에게는 저승을, 마음씨가 따뜻한 셋째에게는 꿈나라를 주었단다. 그리고 하늘나라 사람들에게 그들의 나라 중 어디로 갈 것인가를 택하라고 했어.

"첫째는 지상을, 둘째는 저승을, 셋째는 꿈나라를 다스려라. 그리고 후손에게 통치자의 자리를 물려주며 각자의 세상를 잘 다스리도록 하라. 하늘나라 사람들은 너희의 세 나라 중 한 곳으로 가는 기회가 주어진다. 너희는 그저 나라를 잘 다스리며 사람들을 많이 모으면 된다. 그리고 이 세 개의 팬던트를 주마. 이 초록색과 파란색의 오팔 팬던트는 지상을, 이 검정색 흑진주 팬던트는 저승을, 이 흰색 문스톤 팬던트는 꿈나라를 나타낸다. 이것들은 너희가 위험에 처했을 때나 중요한 결정을 해야 할 때 그것을 알려 줄 것이다. 내 말을 명심하길 바란다."

"네! 아버지. 감사합니다. 나라를 잘 다스리도록 하겠습니다."

모두들 하늘의 신의 아들답게 우렁차게 말했지.

그런데 첫째와 둘째는 꿈나라를 받은 셋째를 마구 비웃었어. 그 웃음이 지상세계에서 천둥이 될 정도였으니까.

"셋째야, 안됐다. 꿈나라가 뭐가 쓸모 있겠니? 푸하하하! 난 지상을 받아서 다행이야! 아무래도 세 나라 중에서는 지상이 짱인 것 같단 말이야! 분명 모두들 지상으로 몰려들겠지?"

"그러게. 꿈나라를 받다니. 불쌍하다, 셋째야! 하지만 첫째형! 저승도 만만치 않을걸! 난 어둠의 왕이 되어 저승을 정복해야지!"

처음엔 셋째도 형들의 말에 기분이 상했어. 자신이 꿈나라를 잘 다스릴 수 있을까, 하는 걱정도 들었고 말이야. 하지만 셋째는 좌절하지 않고 꿈나라를 지혜롭게 다스리며 점점 번성시켜 나갔어.

셋째는 클라우드 오페라 하우스를 만들어 꿈나라의 역할을 성실히 하고, 법과 교육을 중요시 하는 것도 잊지 않았지. 그 결과, 셋째의 꿈나라에는 사람이 많이 모여들었어. 하지만 첫째의 지상, 둘째의 저승에는 권력 싸움이 끊이질 않았지. 왜냐하면 그들은 셋째와 다르게 욕심이 많았기 때문이야. 지금은 지상과 저승보다 꿈나라가 더 평온하단다."

　엄마가 이야기를 마쳤다.
　"주디, 이제 잘거지?"
　"네! 전 꼭 드림메이커가 되어서 사람들을 행복하게 하는 꿈을 만들 거에요!"
　주디가 말했다.
　몇 분 뒤, 주디는 곤히 잠들었다.

　시간은 강물이 흘러가듯 흘러갔고, 주디는 어느새 대학을 졸업하고 취직을 하게 되었다. 지금부터 이 평범한 소녀의 전혀 평범하지 않은 이야기를 시작하겠다.

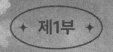

제1부

꿈의 시작

01. 꿈을 만드는 드림타운

이 세상은 지상으로 불리는 이승, 저승, 꿈나라로 이루어져 있다. 그 중 사람들에게 꿈을 제공하는 꿈나라에서는 클라우드 오페라 하우스라는 곳이 있는데 클라우드 오페라 하우스는 드림타운에서, 아니 꿈나라에서 가장 중요한 곳이다. 클라우드 오페라 하우스에서는 여러 가지의 다양한 오페라나 뮤지컬들을 상영하는데, 사람들은 그곳에서 오페라나 뮤지컬을 보고 그 주제로 꿈을 꿨다. 꾸는 꿈은 운명적으로 정해졌다. 그래서 그런지, 오페라 하우스 정문에는 이런 글귀가 금박으로 입혀져 있다.

"당신의 운명이 기다리고 있다."

라고 말이다.

클라우드 오페라 하우스의 겉모습을 말로 설명하자면, 하얀 색의 외관을 가지고 있으며, 구름을 연상시키는 부드러운 곡선과 동그란 형상을 하고 있다. 게다가 어마어마하게 커서 모든 사람을 압도시킨다.

〈하늘의 신과 세 아들〉 이야기에서 나오는 셋째의 후손들은 대대로 클라우드 오페라 하우스의 관장으로 일했다. 그래서 오페라 하우스의 육중한 정문을 열고 들어가면 2개의 거대한 초상화가 걸려있다. 셋째의 초상화와 현재 관장인 아르만도의 초상화이다. 셋째는 우아한 하늘색 정장에 빨간색 넥타이를 매고 있고, 아르만도 관장은 화려한 금테 안경에, 짙은 갈색 눈을 가지고 있다.

정치는 클라우드 오페라 하우스 뒤의 내셔널 센터에서 개별적으로 진행되는데, 그곳은 5년마다 한 번씩 뽑는 '총리'가 다른 정치인들과 협동하여 법을 만들고, 실행하는 일을 하는 곳이다. 이것을 보면 셋째가 법과 교육을 중요시했다는 것을 잘 알 수 있다. 물론 그곳에 들어가려면 뛰어난 지적 능력을 검증받아야 했다. 그리고 네셔널 센터는 정원과 분수가 있는 아름다운 곳이다. 또한 클라우드 오페라 하우스와 다르게 현대식 건물이 아닌 고급스러운 로코코 양식의 건물이었다. 그곳에서는 5월에 형형색색의 장미와 아름다운 꽃이 아주 많이 피어서 관광하기도 좋은 곳이었기에, 5월이 되면 많은 사람들이 이곳, 내셔널 센터로 몰려들었다. 출입이 일부 허용되었기 때문이다.

사람들은 잠이 들면 '무의식의 역'이라는 곳에 오게 된다. 어떻게, 왜 오는지는 모르지만 사람들이 잠들게 되면 안개가 뿌연, 한 기차역에 도착한다는 사실만 기억해두면 된다. 물론 이 기억도 잠에서 깨면 기억되지 않는다. 사람들은 무의식의 역에서 샛노란 기차를 탄 다음 꿈나라로 도착하는데, 지상과 꿈나라를 잇는 다리인 문브릿지를 건너 클라우드 오페라 하우스로 오는 것이다. 여기서 문브릿지는 클라우드 오페라 하우스의 구름과 문브릿지의 달이 조화를 이루는 모습을 상상했던 옛날 꿈나라 사람들이 지어낸 이름이라고 한다. 다시 기차 이야기로 돌아가겠다. 일단 무의식의 역에서 타는 기차는 객실이 나뉘어져 있다. 이것의 목적은 '소통'이었다. 옛날에 셋째가 만든 체계라고 한다. 옛날 어른들이 '기차 타고 꿈나라 간다'고 종종 말하곤 했는데, 그것은 명백한 사실이었다.

또한 잊지 말아야 할 사실은 클라우드 오페라 하우스에서 있었던 일은 잠이 깨면 전혀 기억나지 않는다는 점이다.

그 외 흥미로운 사실이 하나 있다면, 꿈나라에서는 지상 세계에서의 시간과 정반대라는 것이다. 왜냐하면 직원들이 밤에 일을 해야 했기 때문이었다. 그래서 손님들은 모두 꿈나라에 왔을 때 낮에 펼쳐지는 푸른 하늘을 볼 수 있었다. 대신 낮잠을 잔 사람들은 아름다운 노을을 종종 볼 수 있었다.

또한 클라우드 오페라 하우스 관객들은 입장료 대신 오페라에 대한 그들의 느낌이나 소감을 매직큐브로 만들어서 값을 지불해야 했다. 클라우드 오페라 하우스 프론트에는 꿈을 꾼 사람이 감정을 생각해내면, 그것이 큐브로 나오는 기계가 있었다. 그리고 그 큐브는 돈으로 바뀌어 드림 메이커에게로 보내졌고, 일부는 오페라 하우스의 관리를 위해 오페라 하우스로 보내졌다. 또 큐브를 이용하면 꿈나라에서 다양한 것들을 할 수 있었다. 특히 디퓨저로 만들거나, 약을 타서 먹거나, 탄산음료를 마시는 것이 그들만의 큐브 사용법이었다. 예를 들어, 아침에 상쾌함 큐브를 녹인 향수를 뿌리고 왔다면, 하루종일 기분이 좋고 상쾌해질 수 있다는 것 등이다. 큐브를 만드는 데에는 손님들의 감정이 필수 요소였고, 그러한 감정 외 클라우드 오페라 하우스 옆에 흐르는 에메랄드 빛 마법의 강물이 필요했다.

마법의 강은 푸른 빛깔의 투명한 물을 가진 강이며, 클라우드 오페라 하우스와 조화를 이룬다. 보는 사람마다 그 순수함에 감탄하곤 하는데, 그 아름다운 강 옆에는 짙은 녹색의 풀이 무성한 나무들이 자리잡고 있다. 마법의 강은 꿈나라 사람들에게 아주 중요한 역할을 하는데, 꿈나라 사람들은 이 강을 '꿈나라 사람들의 물줄기'라고 부른다.

클라우드 오페라 하우스에서 크게 성공한 작가들은 '클리앙 마을'이라는 아기자기하고 아름다운 마을에 살았다. 그래서 꿈나라에서는 천재적인 오페라 작가들이 나오면, 마치 전해져 내려온 속담같이, '그들은 클리앙에 갈 것이다'라고 종종 말하곤 했다.

그들은 자신들의 집을 개성 있게 꾸미곤 했는데, 그래서 클리앙의 집 모습은 모두 제각각이었다. 또한 클라우드 오페라 하우스에서도 신입들을 이곳으로 견학시켜주곤 했다.

우리의 이야기는, 어느 화창한 월요일 아침 클라우드 오페라 하우스 8번 구역에서 시작된다.

"저기 아비게일, 소품들 좀 책상에 올려 줘."

크림색 옷을 입고 있는 한 여자가 옆에 있는 긴 갈색머리 소녀에게 말했다. 갈색머리 소녀는 여자의 말을 듣고 급히 움직였다.

"토미, 배경그림들 좀 손봐 줄 수 있니?"

굵은 목소리의 남자가 황급히 말했다.

"에밀! 언제 오는 거야!" 다크서클이 축 처진 여성이 짜증스럽게 손목시계를 힐끔대고 발을 땅에 탁탁 붙이치며 말했다. 클라우드 오페라 하우스에 사는 사람들 대부분은 오랫동안 숙면을 취하지 못했다. 7시간에서 8시간 정도 자면 단잠을 잤다는 소리를 들었고, 대부분 5~6시간 정도 잤다.

갑자기 회색머리를 묶어 올린 안경을 쓴 중년 여성이 말했다. 그녀의 이름은 에스더였다.

"자자, 주목! 난 오늘 새로운 신입생에게 알려줄게 무척 많으니 알아서 자기 일을 열심히 하도록!"

"네! 알겠습니다, 팀장님." 스태프들 모두 언제 그렇게 시끄러웠냐는 듯 합창했다. 합창단 중에는 여러 사람이 있었는데, 이제 막 들어온 것 같은 어린 소년, 머리가 헝클어져 있는 중년 여성, 뿔테 안경을 쓴 남성 등 아주 많은 사람이 있었다.

옆에서 키가 작고 노란 머리를 가진 한 남자 스태프가 말했다. 이 남자도 아까 합창했던 사람 중 한명이었다.

"팀장님, 혹시 그 아이 이름을 여쭤봐도 될까요?"

"아 그럼, 세바스찬. 그 아이 이름은 주디 홈스야. 드림타운 국립대학교 꿈창조과를 수석으로 졸업했다는군.. 많이 기대해도 되겠어! 우리 8

번 구역에서 에이스가 될 거야. 근데 그 아이, 드림 메이커가 되고 싶은 것 같아. 대본 작성부로 신청했더군. 아참, 세바스찬, 자네와 같은 팀이니까 많이 도와줘야겠어. 아무리 수석으로 졸업했다지만, 그래도 신입이잖아." 에스더 팀장은 자신의 담당 구역에 수석 졸업생이 온다는 사실이 자랑스러운 듯 했다.

"어! 주디는 제 중학교 동창이에요. 항상 온갖 공부 관련된 상을 휩쓸고 다녔죠. 과연 제 도움이 필요할까요?" 남자는 고개를 갸우뚱하며 말했다.

그때 갑자기 8번 구역의 문이 열리고 밝고 활발해 보이는 20대 초반의 여자가 들어왔다.

"안녕하세요! 제 이름은 주디에요. 만나서 반가워요, 여러분! 오는 길이 참 멋지더군요. 드디어 저에게도 꿈같은 순간이 찾아왔어요!"

* * *

주디는 드림타운 국립대학교를 졸업하고 어렸을 적부터 꿈이었던 드림 메이커가 되기 위해 클라우드 오페라 하우스에 편지를 보냈고, 그녀에게 매우 소중한 답장을 받았다. 편지에는 또박또박 쓴 글씨체로 이렇게 적혀있었다.

To. 주디 홈스 양

안녕하세요, 드림타운 클라우드 오페라 하우스 직원 제인입니다. 저는 프론트에서 일하고 있습니다. 주디양의 편지 잘 읽었습니다. 2월 11일까지 클라우드 오페라 하우스로 오셔서 상담을 해 주시길 바랍니다. 참고로 면접은 오페라 하우스 2층에서 진행됩니다. 그럼 안녕히 계세요.

From. 클라우드 오페라 하우스 프론트 직원 제인

그 편지를 읽고 주디는 바로 면접 준비를 시작했다. 주디는 매일 집에서 마시멜로가 든 따뜻한 핫초코 한 잔을 마시며 〈클라우드 오페라 하우스 면접 준비 문제집〉을 풀었다. 지금 그녀는 생각에 잠긴 채 137번 문제를 풀고 있었다.

137. 매년 클라우드 오페라 하우스에서 열리는 이 대회는 무엇인지 고르시오. (   )

1.클라우드 꿈 시상식

2.캐스턴 빈츠 기념 시상식

3.연말 꿈 시상식

4.걸작 오페라 뽑기 대회

5.위대한 드림 메이커 시상식

그녀는 망설임 없이 3번에 체크했다. 어렸을 적 그녀는 연말 꿈 시상식을 친구들이 보는 애니메이션보다 좋아했다. 그 이유는 '주디의 꿈이 드림 메이커여서'라는 답이 가장 적절했다. 그래서 연말 꿈 대회에 대해는 아주 잘 알았고, 애니메이션과 연말 꿈 시상식을 보는 것 때문에 가끔씩 친구들과 의견이 갈려 싸우기도 했다. 물론 논리적인 주디는 항상 그 논쟁에서 이겼다.

"너희들이 보는 그런 애니메이션은 적어도 일주일에 한번은 하잖아. 그런데 연말 꿈 대회는 일년에 한번이라구."가 그녀가 자주 내세우는 발언이었다. 이 말만 하면 모두들 고개를 끄덕이고, 애니메이션 연말 꿈 대회를 봤다.

138. 제 867회 (위 137번 문제의 답)에서 미술작에서 우승한 드림 메이커는 누구인가요? (   )
1.제시카 존슨
2.벤자민 피니건
3.제럴 홉킨스
4.로널드 스콧
5.조아나 러셀

그녀는 오랫동안 생각에 잠겼다. 그래서 주디는 1번부터 천천히 생각해 보기로 했다. 제시카 존슨은 주로 판타지 세계를 꿈으로 만들었고, 벤자민 피니건은 주로 음식을 먹는 꿈을, 제럴 홉킨스는 네셔널 센터 총리였다. 주디는 이 문제의 의도를 알 수 없어 고개를 갸웃했고, 다시 생각에 잠겼다. 로널드 스콧은 운동하는 꿈을 만들었는데, 주로 그의 꿈을 꾼 사람들은 자고 나면 살이 빠져 있었다고 한다. 오페라 하우스에서는 그때 관객들이 직접 무대에 나와 아령을 들거나 복근 운동을 했기 때문이었다. 조아나 러셀은 주로 미술작을 만들었다. 그래서 주디는 곧바로 5번에 체크했다. 주디의 머릿속에서 모든 생각이 정리되었다. 제 867회 연말 꿈 대회는 8년 전 일이었고, 조아나는 상을 탄 뒤를 계기로 클리앙 작가로 데뷔했다. 그녀는 이 정도면 됐다고 생각해서 문제집을 덮고 포근한 침대 위로 올라갔다.

드디어 면접날이 밝아왔다. 주디는 단정한 하얀색 원피스를 입고 기차를 탄 다음 드림타운으로 갔다. 그녀의 집이 코코아마을에 위치하고 있었기 때문이다.

드림타운에 도착하자, 그녀는 클라우드 오페라 하우스로 갔다. 클라우드 오페라 하우스는 그녀가 상상한 이상으로 웅장했다. 그 웅장으로 클라우드 오페라 하우스는 주디를 압도시키고 있었다.

문의 적혀있는 글귀, "당신의 운명이 기다리고 있다"는 글귀를 보고 혼잣말을 했다.

"네. 전 지금 제 운명을 압두고 있답니다."

그녀는 자신을 제인이라고 설명하는 예쁜 여자에게 환한 미소로 인사를 했다. 제인은 자신의 직원카드를 기계에 대고 흰색 엘리베이터를 가리키며 말했다.

"저기가 엘리베이터랍니다. 그럼, 행운을 빌게요."

주디는 엘리베이터를 타고 2층 면접실로 갔다. 엘리베이터를 타면서 주디는 제인에게 있던 직원카드가 자신에게도 생긴다면 좋겠다는 생각을 했다. 엘리베이터를 타는 도중에도 손발이 덜덜 떨리는 건 어쩔 수 없었다. 그래서 주디는 치마 끝은 자꾸 만지작거렸다. 면접실에 똑똑, 노크를 하고 들어가자, 면접실에는 당당한 한 여자 면접관이 기다리고 있었다. 주디는 면접관에게 꾸벅 인사했다.

"안녕하세요!"

주디는 책상 위에 있는 '다이애나 해리슨'이라고 적혀있는 명패를 보고 덧붙였다.

"다이애나 면접관님!"

주디는 스스로의 눈을 믿지 못했다. 다이애나 해리슨은 아르만도 관장의 아내였다!

다이애나는 매우 고급스러워 보이는 검정색 드레스를 입고 있었다. 그녀는 60대 정도 되어 보였는데, 얼굴에는 주름이 한 점도 없었다. 주디는 그녀가 피부에 어마어마한 돈을 들였을 것이라고 짐작했다. 반짝이는 초록색인 그녀의 눈은 주디를 보는 순간 반짝였다. 다이애나가 살포시 미소 짓자, 주디의 긴장하고 있던 몸이 서서히 녹기 시작했다. 다이애나가 말했다.

"안녕하세요. 주디라고 했죠? 편히 앉아요. 내 이름은 다이애나라고 해요. 면접관을 맡고 있지요."

주디는 그런 그녀의 겸손한 태도에 정말 존경심을 느꼈다. 그 때문에 그녀가 아르만도의 아내라는 사실이 까맣게 잊혀졌다.

"이제 면접을 시작하죠.."

그녀가 책상 위에 수북이 쌓인 서류중 하나를 탁탁치며 말했다. 주디는 그 서류에 자신에 대한 정보가 들어있을 거라 짐작하며, 다시한번 침을 꼴깍 삼켰다.

"일단 이 질문이 처음이자 마지막 질문이 될 거에요. 왜 클라우드 오페라 하우스에 오셨나요?"

"어렸을 때부터 드림메이커가 꿈이었어요. 모두에게 행복을 주는 그런 꿈을 만들고 싶었거든요.."

"왜 사람들을 행복하게 해주는 꿈을 만들고 싶었나요?"

다이애나의 압도적인 눈빛은 저절로 주디를 쩔쩔매게 만들었다. 다이애나는 분명 주디를 부드럽게 바라보고 있었는데 주디는 땀이 삐질삐질 났다. 주디는 침착하게 다시 목을 가다듬고 말을 이어갔다.

"음... 사람은 일생의 4분의 1정도를 잠을 자면서 살아요.

제가 드림 메이커가 되고 싶은 까닭은 그때 불행한 사람이나 동물들이 꿈을 꾸면서 일상 생활에서의 희망을 되찾게 하고 싶기 때문이에요. 반려동물들은 평소에 갇혀 살며 지루한 생활을 할 때 나가서 뛰노는 꿈을 만들어주고, 일상의 즐거움을 되찾게 해주는 꿈을 만들어주고, 보고 싶은 사람을 꿈에 나오게 해서 그 사람을 행복하게 하는 것이 제 목표거든요. 제가 만약 클라우드 오페라 하우스에 취직을 하게 된다면 제가 만든 꿈이 어떻게든 사람들을 행복하게 만들거나 희망을 줬으면 좋겠어요."

주디가 말을 마쳤다. 갑자기 이렇게 멋진 말들이 술술 나와서 주디는 스스로에게 놀랐다.

"그런 이유가… 이렇게 대답하는 사람은 처음이군요. 다들 클라우드 오페라 하우스는 드림타운을 대표하는 명소니하며 주절주절 설명을 늘

어놓거든요. 저도 경력이 얼마 안되지만..."

다이애나가 옅은 미소를 지으며 말했다. 그녀가 그런 말을 하자 주디가 조금 안심이 되었다.

"결과는 빠른 시간 안에 편지로 보내줄께요. 그럼 안녕히 가세요. 행운을 빌어요!"

다이애나가 나지막하게 말했다.

"네! 오늘 정말 감사했어요."

주디는 다이애나에게 인사를 꾸벅하고 면접실을 나왔다. 주디는 뜻밖의 질문에 지금까지 공부했던 것에 대해 허무함을 느꼈지만 뿌듯함과 안도감이 더 컸다. 그리고 생각했다.

'제발 통과하길!'

며칠 뒤, 클라우드 드림타운에서 편지가 왔다. 주디는 설렘 반 걱정 반의 기분으로 편지 봉투를 뜯었다. 편지를 뜯으며 그녀는 많은 생각을 했다.

'떨어지면 어떡하지?'

'면접은 잘 본 것 같다고 생각하는데…'

편지를 뜯자마자 카드 하나가 떨어져 나왔다.

"꽝!"

보기와 다르게 그 조그만 카드는 요란한 소리를 냈다. 주디는 그 소리가 "꽝!"이라며 자신이 떨어졌다고 말하는 것 같아서 더욱 불안해졌다. 주디는 그것을 애써 무시하고 편지를 읽어 내려갔다. 지금 가장 중요한 것은 편지 읽기였기 때문이었다.

To. 주디 홈스 양

안녕하세요, 프론트 직원 제인입니다. 다이애나 님에게 소식 들어서 바로 편지 보냅니다. 다이애나 님은 주디 양께서 클라우드 오페라 하우스에 오신다는 것을 아주 기쁘게 생각하시고 있습니다. 3월 30일부터 출근해 주시기 바랍니다. 주디 양께서 일할 곳은 [8번 구역 24그룹]입니다. 직원카드를 편지에 넣어 놓았으니 꺼내서 사용해 주세요.

From. 프론트 직원 제인

방금 바닥에 떨어진 것이 직원카드인 모양이었다. 직원카드에는 환상적인 형형색색의 구름이 그려져 있었고 '주디 H.'라는 글씨가 써져 있었다. 그리고 824121126이라는 숫자가 적혀있었다. 주디는 그제서야 클라우드 오페라 하우스 직원이 된 것이 실감나기 시작했다. 주디는 너무 기쁜 마음에 집에서 가족 파티를 열자고 했다. 그날 주디의 집에서는 컵을 부딪히는 소리가 멈추지 않았다.

"오페라 하우스 직원이 된 주디의 성공 위하여!"

주디가 꿈에 한걸음, 발을 딛는 순간이었다.

3.30. 아침

주디는 오늘만을 손꼽아 기다렸다. 오늘을 위해 혼자 이곳으로 이사 온 거다. 전에 살던 코코아마을에 있는 집이 너무너무 그립긴 했지만 말이다. 이 집에 이사 온 이래로 늘 그렇듯이 그녀는 2층에 있는 침실에서 옆 화장실로 들어가 세수를 했다. 그리고 거울로 자신의 얼굴을 쳐다본 뒤, 활짝 웃고 나서 나갈 채비를 했다. 그리고 그녀는 행복에 겨워 소리쳤다.

"드디어 오늘이야. 클라우드 오페라 하우스의 가는 날이라고!"

그녀는 제일 좋아하는 옷인 빨간색과 베이지색 줄무늬 니트를 입고 생각에 잠겼다. 오늘따라 매일 자던 침대가 익숙하지 않게 느껴졌다.

'음.. 나를 신입생 취급하진 않겠지? 안 그러면 좋겠다. 너무 떨리는걸? 어디로 가야하지?'

그녀의 머릿속이 온갖 생각으로 뒤덮였을 때, 8:30 알람이 울렸다. 출근은 9시까지였다.

"아! 이제 가야겠다." 그녀는 마법의 강을 보며 자전거를 타고 클라우드 오페라 하우스로 갔다. 가는 길은 정말 아름다웠다. 활짝 핀 꽃들이 그녀를 맞이해 주었다. 그 때문에 향긋한 꽃냄새가 코를 찔렀다. 그리고 자전거에서 내려 클라우드 오페라 하우스 정문으로 들어갔다.

그녀가 클라우드 오페라 하우스에 오는 건 두 번째였다. 그곳에 계단이 정면으로 주디를 마주하고 있어 왠지 모를 위풍당당함이 느껴졌다. 그리고 바닥은 대리석으로 되어 있어서 뭔가 조심조심 걸어야 할 것 같았다. 그녀는 직원카드를 프론트 데스크 옆에 있는 길쭉한 기계에 댔다. 제인이 말했다.

"여기 오른쪽은 1에서 10구역까지 있는 곳이고요, 이 왼쪽은 레드에서 화이트홀까지 있는 관객 전용이랍니다. 직원들은 이 오른쪽으로, 아까 보셨던 기계에 직원카드를 대고 들어가면 돼요."

제인은 주디에게 편지를 보여 달라고 하더니, 편지 내용을 훑어보며 '8'이라고 적힌 구역으로 안내했다. 8구역은 주디가 본 문 중 8번째에 있었고, 제인의 안내를 받고 8구역의 문으로 도착한 주디는, 한 연보라색 포스터를 읽어보았다. 그곳에는 휘갈겨 쓴 글씨로 이렇게 적혀있었다.

<신입을 위한 참고서>

1. 꿈 대본은 파이프를 통해 연극부로 전달할 것
2. 각 기지의 팻말은 알아서 만들어도 됨
3. 기지마다 7개의 펜이 배치되어 있음
4. 언제든 시끄럽게 굴지 말 것(다른 직원들의 집중을 위해서)

by. 에스더 팀장

* * *

"주디, 난 이곳 8번 구역의 총괄 팀장, 에스더라고 해. 네가 오늘이 클라우드 오페라 하우스에서의 첫날이니, 내가 우리 클라우드 오페라 하우스에 대해 안내해줄게!"

"네!"

주디가 기대에 차서 발을 동동 구르며 말했다.

"일단 우리 클라우드 오페라 하우스는 꿈나라의 대표적인 마스코트이자, 꿈나라에서 가장 중요한 곳이야. 꿈나라의 목적인 꿈을 만들고 사람들에게 희망과 재미를 선물해 주는 곳이니 말이야. 클라우드 오페라 하우스 건축에 대한 유래를 하나 들려줄게. 아주 재밌거든. 주디, 일단 하늘의 신과 세 아들 이야기 들어보았지?"

"네, 당연하죠! 저희 나라에서 가장 중요한 이야기인 걸요! 저도 어렸을 때는 부모님께 자주 듣곤 했어요." 주디가 아는 이야기가 나오자 안도하며 말했다.

"그래. 그럼 이야기를 시작하마. 먼 옛날 셋째 아들은 이곳 꿈나라에 도착하자마자, 오페라 하우스를 짓기로 했어. 왜냐면 꿈나라의 존재 자체가 꿈을 위한 것이었으니까. 어느날, 한 남자가 셋째를 찾아왔어. 바로 마법의 강 옆에 집을 짓고 사는 사람들이었지. 사람들 중 한 남자가 말했어.

"셋째 님, 전 저기 강 옆에 집을 짓고 사는 사람입니다. 아무래도 이 일을 알려야 할 것 같아서요. 제가 원래는 엄청 빨리 일어나는 사람입니다. 그런데 저 집에서 살기 시작할 때부터 갑자기 잠이 술술 오고 늦잠을 자게 되는 것이 아니겠습니까! 이게 별로 안 신기하시다면, 하나 더 있습니다. 바로, 제 집 마당이 어느 순간부터 폭신폭신 말랑말랑 해져서 이제는 그 땅을 밟으면 날아다닐 수 있을 정도입니다. 또 신기한 일이 있었는데, 최근에 저희 아들이 아파서 저 강 물을 마시게 했더니 불끈불끈 힘이 난다고 하며 요즘은 거의 날아다닙니다. 아무래도, 저희 집을 지은 곳이 마법이 깃든 것 같습니다." 남자가 침을 꼴깍, 삼키며 말을 마쳤다.

셋째는 그 말을 듣고 신기해 했단다. 그 순간, 셋째의 목에 걸려있는 팬던트가 반짝 하며 빛나더니 그 땅을 향해 빛을 냈지. 셋째는 깨달았어. 바로 이곳이 아버지 하늘의 신계서 만들어주신 마법의 땅이라는 것을 말이야. 그래서 그 땅에 오페라 하우스를 짓고 구름처럼 폭신하고 사람을 잘 자게 해 준다는 뜻의 클라우드 오페라 하우스라고 이름을 지었단다."

에스더가 말을 마쳤다. 주디가 초롱초롱한 눈빛으로 말했다.

"완전 재미있는 이야기였어요! 전 한번도 들어본 적 없는 이야기에요! 그래서 이렇게 클라우도 오페라 하우스에서 꿈을 꾸는 사람들도 더 포근하게 잘 수 있는 건가요? 과학적으로 설명할 수 없는 신비로운 이야기군요!"

"이렇게 이 이야기를 좋아하는 신입사원은 또 처음이구나. 맞아. 그래서 이 클라우드 오페라 하우스에서 사람들이 더 포근하게 잘 수 있는 거란다. 그리고 남자가 말했던 폭신폭신한 땅은 지금 발코니로 쓰고 있단다. 그곳에서 노는 아이들도 많아."

"우아~ 너무 멋져요!"

"이제 이 클라우드 오페라 하우스의 시스템에 대해 자세히 설명해주마. 일단 클라우드 오페라 하우스에서는 1번부터 10번까지의 구역이 나눠져 있지. 1번은 너의 팀원 중 한명인 제임스의 삼촌인 루이스, 2번은 미카엘, 3번은 셀리나, 4번은 그린, 5번은 오펠리아, 6번은 니콜, 7번은 테리, 9번은 브라운, 10번은 로저 그리고 8번은 나, 에스더라는 팀장들로 이루어져 있지. 모두 개성 있는 친구들이야. 모두 여기서 25년 이상은 일한 베테랑들이지. 또 각 구역마다 셀 수 없는 사람이 일하고 있고, 엄청나게 많은 오페라들을 만들어. 가끔 사람들이 정말 쉬면서 숙면을 취하고 싶을 땐, 아까 말한 발코니에서 휴식을 취한단다. 그리고 매직큐브가 만들어지는 곳은 1층 프론트야. 거기서 감정을 큐브로 만들기 위해 사용하는 기계가 있거든.

자, 이제 중요한 본론으로 들어가자. 우리 꿈나라에서는 연말에 전국적으로 꿈 오페라 대회가 열리는 건 알지? 클리앙의 드림 메이커들은 모두 그 대회에 우승한 경험이 있는 친구들이야. 우리 구역의 클리앙 메이커는 조아나 러셀이야. 그 친구, 정말 기발한 생각들을 많이 하고 정말 차분해. 신입 때부터 알아봤어. 너도 대회 준비를 빨리 시작하는 좋을 거야. 난 네가 대학에서도 좋은 성적을 거뒀으니 넌 분명 성공할 수 있을거야. 비록 신입이지만 말이다. 그리고 너는 24그룹 엠마, 제임스, 세바스찬과 함께할 거야."

"네? 세바스찬이요? 그 친구 제 중학교 동창이었어요! 온 동네에서 유명한 장난꾸러기였는데.. 이번엔 사고를 안 쳐야 할 텐데.. 그리고 저는 어렸을 때부터 꿈 시상식은 꼭 봤어요! 제가 제일 좋아하는 프로그램이었죠."

"그래. 세바스찬과 동창이라고 이미 들었다. 서로 잘 지내면 좋겠구나. 난 여기까지란다. 앞으로 잘 해보렴. 그럼 난 이만!"

에스더 팀장이 한 여자가 부르는 소리를 듣고 급히 떠났다.

"내가 꿈 대회에 참여하게 되다니! 너무 설렌다! 그런데, 말도 안 돼. 세바스찬이 여기 있다고? 고등학교 때 공부를 좀 했나보군!"

주디가 중얼거리며 기지로 향했다.

02. 친구들의 숨은 이야기

기지는 모두 캔버스 재질의 텐트형으로 되어 있었다. 주디는 다시 한 번 편지를 읽고 '24그룹'이라고 적힌 캔버스 재질의 텐트로 들어갔다. 그곳은 제법 아늑했다. 대부분 가구가 흰색과 연한 색의 나무 재질로 되어 있었다. 주디가 24그룹 기지로 도착했을 때는 세바스찬, 엠마, 제임스는 이미 도착해서 스토리를 짜고 있었다. 그들은 주디가 들어오는 것을 보고 모두 기쁘게 환영인사를 했다.

"안녕! 네가 주디구나! 24그룹에 온 걸 환영해. 난 엠마야. 나도 드림타운 국립대학교에 졸업했어!"

갈색머리에 하늘색 보석머리띠를 찬, 파란색 눈동자를 가진 예쁘장한 소녀가 밝게 인사했다. 그녀는 정말로 기뻐 보였다.

"안녕, 주디. 난 제임스야. 너 엄청 똑똑하다며? 우리 기지에 온 걸 환영해! 난 저기 루나 빌리지의 루나대학교 출신이야. 그리고 내 취미는 암벽등반이야."

목소리가 굵고, 갈색 머리카락을 가진 소년이 말했다.

그리고 노란머리의 소년이 말했다.

"난 세…"

"넌 알아! 우리 중학교 사고뭉치였던 세바스찬이잖아!" 주디가 맑게 소리쳤다.

모두들 깔깔깔 웃었다.

"난 세바스찬이고, 만나서 반가워." 세바스찬이 머리를 긁적이며 말했다.

"난 주디라고 해. 앞으로 잘 지내보자! 나는 어렸을 때부터 여기 오는 게 꿈이었어. 그리고 나는 저어기 코코아마을이 내 고향이야. 하지만 지금은 이 근처에 살아. 난 드림타운 국립대학교 출신이고, 사람들을 행복하게 만들어주고 싶어서 이곳에 왔어."

"주디, 혹시 클라우드 오페라 하우스나 우리 그룹에 대해 궁금한 점 있어?"

엠마가 물었다.

"응! 너희는 언제부터 이렇게 같은 팀을 하게 된 거야?"

"음… 5년마다 한 번씩 팀을 뽑거든? 근데 내가 하필 세바스찬이랑 붙은 거야.. 주디 네가 와서 얼마나 다행인지 몰라.. 앗!"

엠마가 세바스찬 눈치를 살피며 말을 멈췄다. 다행히 세바스찬은 듣고 있지 않았다.

"주디 홈스! 넌 근데 굳이 왜 여기로 왔어? 네 실력이라면 더 좋고 돈을 많이 벌 수 있는 곳으로 갈 수 있었을 텐데."

"어렸을 때부터 꿈이었다잖아!"

엠마가 못마땅한 듯 소리쳤다. 주디는 내심 엠마가 자신의 말을 잘 들어준 것 같아서 기분이 좋았다.

"주디, 처음이니까 구경시켜 줄까?"

제임스가 말했다.

"응!" 주디가 기대에 찬 표정으로 대답했다. 그들은 기지 밖으로 나와서 주디에게 이것저것을 알려주었다.

"일단 저기 미술팀 보이지? 저기서 배경 제작이나 소품을 만들어! 예산이 빵빵하다구." 엠마가 부러운 듯 말했다. 엠마가 가리킨 곳에는 양쪽으로 머리를 묶은 소녀가 옆에있는 키 큰 소년에게 떠들어대고 있었다.

"그거 알아? 이번에 되게 좋은 물감이 많이 도착했더라! 최고급이야. 완전 기대돼!" 소녀가 재잘재잘 떠들어댔다.

"근데 저기 메리, 우리 이제..."

"아 근데 네 옆에 있는 톱 좀 줄 수 있어?" 소녀가 깜빡했다는 듯 턱짓을 했다.

모두들 고개를 돌려서 한숨을 쉬었다.

"그리고 저~긴 연극부야! 저 대사 읽는 거 보이지? 내 친구 중에 연극부 친구가 하나 있는데, 걔는 되게 말을 잘해."

세바스찬이 말했다. 세바스찬이 쳐다보고 있는 곳에는 검은 머리에 파란 리본을 한 여자가 손짓 발짓을 하며 대본을 읽고 있었다. 대충 이런 내용이었다.

"오 이런! 저기 해적이 보인다!"

"빨리 도망가자!"

세바스찬이 말했다.

"판타지인가 보네."

그리고 그들은 텐트에서 이야기를 하고 있는 다른 팀원들의 모습을 봤다. 제임스가 깜빡했다는 듯이 말했다.

"주디, 잠깐 일로 와봐!"

"응!"

제임스가 가리킨 곳에는 짙은 회색의 관이 여러개 있었는데, 주황색 머리카락에 뿔테 안경을 쓴 한 여자가 그곳에 종이 비슷한 걸 집어넣고 있었다. 바로, 대본이었다.

"에스더 팀장님이 쓰신 포스터 봤지? 거기서 '파이프'라는 게 바로 이거야! 이 구멍으로 종이가 빨려 들어가서 랜덤으로 연극부나 미술부로 보내져." 제임스가 손을 파이프에 대며 말했다. 제임스의 손이 파이프에 가까이 닿기도 전에, 구멍에 착 달라붙었다.

"이렇게. 흡수력이 엄청 강해." 제임스가 안간힘을 쓰며 파이프 구멍에서 손을 떼어내며 말했다.

"그리고 하나 더 설명해 줄게 있어, 근데 그건 기지 가서 설명해줄게." 엠마가 말했다.

"응. 다들 날 위해 이렇게 신경 써 줘서 고마워.." 주디가 감동한 듯 말했다. 그리고 넷은 다시 기지로 향했다.

기지에 도착했을 때, 엠마가 직사각형 모양의 연한 나무재질 테이블 위에 있는 핸드폰 비슷한 것을 들며 말했다. 주디의 손바닥만 했다.

"이건 기지 전용 폰이야. 이걸로 팀장님이나 클라우드 오페라 하우스 모두에게 연락할 수 있어. 전화하고 문자 둘 다 되는데, 우리 클라우드 오페라 하우스의 최고 권력자신 아르만도 관장님은 넘버 원! 1만 입력하면 돼. 그리고 대본창작부는 1번, 연극부는 2번, 미술부는 3번으로 입력하고, 구역 번호를 입력하고, 그룹 번호를 입력하면 돼. 예를 들어서 우리에게 누군가 문자나 전화를 하려고 하면, 10824라고 단축키를 누르면 돼. 그리고 팀장님들한테 연락을 하고 싶으면 #을 누르고 그다음 구역번호를 누르면 돼. 그런데 우리는 #8, 그니까 에스더 팀장님번호를 자주 사용할 예정이고." 엠마가 말을 마쳤다. 주디가 감탄했다.

"우아 엠마야, 넌 어쩜 모르는 게 없니?"

"고마워! 내가 여기서 일한지 1년은 됐거든. 자자, 그럼 이제 꿈 스토리를 짜보자. 일단 주디 네가 없을 때 우리가 대충 오페라 느낌은 정했어. 우리는 반려동물들을 위해 자유롭게 숲을 탐색하고 신나게 뛰어노는 뮤지컬을 만들 거야. 주디, 네 생각은 어때?"

"아주 좋은 주제인 것 같아! 이런 동물들을 위한 꿈은 별로 없으니깐 '자유' 큐브와 '행복' 큐브를 많이 얻을 수 있을 거야. 반려동물 복지 차원에서 말이야. 귀여운 손님들도 많이 오고!"

"물론 오렌지홀 직원들에게는 안됐지만. 아, 그리고 손님들도 뮤지컬에 참여시키자. 이제 상세 설정을 해볼까?"

"숲의 열매들은 독이 다 없게 해야 해. 먹었다가 큰일이라도 생기면 어떡해."

"목줄도 없애자. 자유로운 몸을 만들려면 꼭 필요한 요소지."

"반려동물들이 낮잠을 잘 때 많이 놀러올 테니, 극장 의자는 푹신하게 만들자."

"그런데 요즘 반려동물 키우는 사람들이 증가하면서 반려동물 관람객들도 많이 늘었어. 그니까 1,000석 정도 마련할까?"

"그래. 반려동물.. 탐색.. 숲.. 독이 없고.. 자유, 행복 큐브… 그리고 의자를 축신하게.. 1,000석! 대본 작성완료!"

엠마가 종이에 글씨를 썼다. 엠마의 글씨는 반듯하고 길쭉했다.

"이제 끝이야?"

주디가 고개를 갸우뚱하며 물었다.

"응! 이제 이걸 파이프로 연극부에 보내면 돼!"

엠마가 텐트 밖으로 나가서 지금까지 쓴 대본을 긴 관에 돌돌 말아서 넣었다.

'슉!' 소리를 내며 대본이 빨려 들어갔다.

* * *

콜리 강아지인 해피는 제니네 가족의 반려동물이다. 제니네 아버지는 매일 아침 일찍 회사에 가셨고, 제니네 엄마도 마찬가지였다. 제니는 학교에 가거나 친구들과 놀러 다녔다.

해피는 처음 이 집에 올 때가 가장 좋았던 것 같았다. 처음에는 가족들 모두 해피에게 관심을 가져주었고, 특히 제니는 해피에게서 눈을 떼지 못했다. 해피의 흰색과 연한 갈색의 보드라운 털은 자꾸 제니의 손이 가게 했다. 가족들은 우리 집에서 행복하게 지내라고 하며 이름을 '해피'라고 지어줬다.

하지만, 해피는 지금 하나도 행복하지 않다. 매일 반복되는 지루한 일상은 해피를 점점 힘들게 만들었다. 먹고자고, 먹고자고.. 재미있는 일이 하나도 없었다. 옆집 초코는 '개린이집'에 다닌다던데.. 해피도 그곳에 가고 싶었다. 사랑받고 싶었다. 제발.. 해피는 매일 제니와 가족들에게 애교를 부리지만, 모두들 무시한다. 아님...

"해피야 너 왜 그래. 조용히 좀 해봐. 누나 숙제 중이잖아."

라는 답이 들려왔다.

해피는 너무 힘들었다. 하루는 집을 나갈까도 생각했다. 하지만, 집을 나갔다가 고생한 해피의 친구 레오가 엄청 힘들었다고 해서 해피도 가출은 포기했다. 지금, 해피는 이 상황에서 아무런 희망을 찾지 못한 채, 스르르 잠이 들었다.

해피는 지금 기차를 타고 있었다. 기차 창문 사이로는 빛이 비집고 들어왔다. 그리고 바람이 불어 해피의 귀를 날렸다. 해피는 솔직히 잠자는 시간이 제일 좋았다.

'벌러덩'

객실 의자에 누워서 있는데 어느 할머니가 들어왔다. 그녀는 백발에 네모난 안경을 쓰고 두꺼운 빨간색 옷에 보라색 목도리를 차고 있었다.

"아이고, 강아지구나. 만나서 반갑다. 미안하지만 네 옆 자리에 앉아도 될까?"

"월월!"

해피가 답했다. 좋다는 의미였다. 이런 승객과 같이 탈 때마다 해피는 정말 행복했다. 누군가에게 관심 받는 그 때가.

그런데 갑자기 깊은 바다색의 비니를 쓴 소년이 문을 열고 들어왔다. 소년의 머리색은 짙은 검정색이었다. 비니를 머리에 푹 눌러쓴 그 소년은, 눈이 거의 보이지 않았다. 해피는 꼬리를 살랑살랑 흔들며 제니 또

래의 그 아이를 반갑게 맞아주었다.

"월월!"

해피도 제니가 싫지 않았다. 사실, 해피는 제니를 상상 그 이상으로
사랑했다.

진한 남색 비니를 쓴 소년이 말했다.

"아, 강아지구나. 안녕."

소년의 말투는 상당히 무뚝뚝했지만, 해피를 만나서 반가운 기색이
말투에 묻어났다. 그 소년의 이름은 테드였다. 테드가 말했다.

"난 테드라고 해. 만나서 반가워."

소년이 비니를 벗었다. 머리카락이 조금 흩트려져 있었고, 살짝 곱슬
곱슬했다. 소년의 모자 때문에 가려졌던 눈은 진한 남색이었다. 그 소
년은 보기와 다르게 붙임성이 좋아보였다. 해피는 그런 테드에게 꼬리
를 살랑살랑 흔들어 보였다.

그때 할머니가 손뼉을 딱 치며 말했다.

"맞다! 내 소개를 안 했구나. 난 헬렌이란다. 내 취미는 바느질하기이
지. 바느질을 하면서 뿌듯함도 느끼고 시간이 잘 가기 때문에 난 바느
질을 아주 좋아한단다."

"안녕하세요, 헬렌 할머니."

테드가 말했다. 그리고 덧붙였다.

"헬렌 할머니, 할머니는 어떤 꿈을 꾸고 싶으세요?"

"음.. 나는 내 손녀딸이 나오는 꿈을 꾸고 싶구나. 애가 몸이 약해서
하루 종일 병원 침대에 누워만 있거든.. 우리 손녀, 딱하기도 하지…
아, 그리고 난 손녀딸과 원없이 뛰어놀고 싶구나."

할머니가 말을 마치고 잠시 **훌쩍**였다. 정말 작고 미세한 소리였지만, 해피와 테드는 할머니의 마음을 가라앉힐 수 있도록 조용히 자리에 앉아있었다.

헬렌 할머니가 울음을 그치고 말했다.

"테드, 너를 보니 우리 손녀딸이 생각나는구나.. 비슷한 또래인 것 같은데.."

"아, 네.."

정적이 흘렀다.

"테드, 넌 어떤 꿈을 꾸고 싶니?"

"전, 진짜 친구가 생기면 좋겠어요. 그리고 그 친구와 신나게 놀고 싶어요."

"진짜 친구?"

"네. 진짜 친구요. 저를 진심으로 좋아하는 친구 말이에요. 저에겐 지금 진짜 친구가 없어요. 적어도 제가 생각하는 그 친구는요. 모두들 제게 다가와서 원하는 것을 요구하곤 해요. 전 그런 것을 들어주는 사람이 아닌데.. 그래서 예지몽이라도 꿔서 제 운명의 친구를 만나고 싶어요."

테드가 말을 마쳤다. 사실 테드는 공부를 정말 잘해서 모두들의 부러움을 샀다. 그래서 친구들은 테드를 '테드'가 아닌 '공부를 잘하는 친구'라고 생각했다. 그래서 학교에서 테드에게 들려오는 소리뿐이라곤, "테드, 이거 어떻게 푸는 문제야?" 정도였다. 테드는 헬렌 할머니가 자신을 위로해 줄 것이라고 생각했다. 하지만 돌아온 말은 그 반대였다.

"내 생각은 다르구나. 네가 마음에 드는 친구에게 먼저 다가가는 건 어떻겠니? 그리고 점점 우정을 쌓아 나가며 진짜 친구로 만들어봐. 마음에 드는 친구를 평생 기다리는 것은 시간 낭비지, 암.. 그렇고말고." 헬렌 할머니의 네모난 안경 너머로 헬렌 할머니의 몽롱한 눈빛이 보였다.

"네…" 테드가 생각에 잠겼다. 진짜 친구를 만드는 것이라. 하지만 할머니 말이 틀린 것도 아니었다. 아니, 할머니 말이 맞았다. 그런 진짜 친구는 아주아주 소수일 것이다. 그러므로 테드가 만들어 나가야 했다…

그때 기차에서 딱딱한 여성의 목소리가 들려왔다. 적어도 해피에게는 그렇게 들렸다.

"곧 클라우드 오페라 하우스 인근 문브리지에 도착합니다. 내릴 준비 부탁드립니다."

잠시 후, 해피, 헬렌 할머니, 테드는 기차에서 내렸다. 해피는 생각했다.

'나도 친구를 만들어야지.'

해피가 클라우드 오페라 하우스에 도착했을때, 해피는 자신이 갈 곳을 알고 있었다.

'8구역 오렌지홀.'

그곳이 바로 해피의 목적지였다. 해피는 익숙한 듯 서둘러 클라우드 오페라 하우스로 향했다. 해피의 짧은 다리가 하루동안 제일 빠르고 바쁘게 움직였다.

그곳에는 몇몇 어린 아이들과 직원들이 있기는 했지만, 거의 동물들

밖에 없었다. 직원들은 무지 바빠 보였다. 그래서 그런지 볼이 발그레한 여자 직원이 갑자기 해피에게 다가와 말했다.

"안녕하세요. 무슨 오페라를 보실 건가요?" 여자는 땀을 흘리고 있었다. 동물들을 상대하느라 힘든 듯 했다.

"월.. 그르르.. 월월!!"

해피가 말했다. 뭐가 있는지 보고 싶다는 뜻이었다. 클라우드 오페라 하우스 직원들 중 동물들을 관리하는 직원은 모두 동물 번역기를 가지고 있었기에 해피의 말을 쉽게 알아들을 수 있었다. 아주 흔한 강아지인 콜리에, 억양이 정확했으니까. 가끔씩 중동에서 오는 강아지들은 발음이 너무 빠르거나 부정확해서 직원들이 애를 먹을 때도 있었다. 그래서 귀여운 동물들을 보려고 오렌지홀 프론트 직원으로 갔다가 너무 힘들어서 자신의 선택을 후회한 직원들도 더러 있었다.

직원이 해피를 보며 웃어보였다. 해피가 억양이 좋은 강아지여서 상당히 일이 편해 질 것 같아서인지, 아니면 해피가 귀여워서 그런 건지. 아무튼 직원은 해피를 향해 웃었다.

그리고 직원은 무슨 영화가 있는지 적혀있는 카드를 보여줬다. 그곳에는 이렇게 적혀있었다.

해변으로 여행가는 꿈
가족과 함께 아름다운 여행으로 마음을 뻥 시원하게 뚫어보세요!
제작진: 8구역 대본창작부 12그룹
　　　　5구역 연극부 27그룹
　　　　2구역 미술부 34그룹

숲으로 탐색하러 가는 꿈
갑갑한 집에서 해방되어 강아지 탐험가가 되어보세요! 갖가지 종류의
맛있는 과일! 다 드셔도 됩니다.
제작진 : 8구역 대본창작부 24그룹
        8구역 미술부 89모둠

사람이 되어보는 꿈
편리한 인간생활을 체험해 보세요!
제작진 : 8구역 대본창작부 9그룹
        6구역 연극부 85그룹
        7구역 미술부 77그룹

해피는 세 번째 뮤지컬도 궁금했지만 지금 자신에게는 두 번째 뮤지컬이 필요할 것 같아서 두 번째 뮤지컬을 보기로 했다. 해피는 오렌지홀 2번 극장으로 들어갔다.

뮤지컬은 그야말로 최고였다. 여러 가지 과일들 중 해피가 좋아하는 과일도 있었다. 그 중 새콤달콤 산딸기는 정말 맛있었다. 의자는 정말 폭신해서 해피가 자는 강아지 텐트와는 비교도 안 될 지경이었다. 해피는 우연치 않게 '라라'라는 친구도 생겼다. 해피는 뮤지컬 내내 라라와 수다를 떨었다. 해피가 이렇게 말을 많이 해본 적은 제니의 집에 오기 전 빼고 처음이었다. 해피는 '집에 돌아가고 싶지 않아.. 라라와 더 놀고 싶어.'라고 생각했다.

해피는 프론트로 향했다. 해피는 미니 사진관 같은 공간에 들어가서

헤드셋 같은 모자를 끼고 생각했다.

'자유.'

'행복.'

'희망.'

그중 '희망'은 조금은 뚱딴지같지만 현실세계에서의 라라같은 친구가 생길 것 같은 해피의 느낌이었다. 그리고 기계에서는 밝은 초록색(자유), 생기 있고 진한 분홍색(행복. 진할수록 강렬한 행복이었다), 연하지만 밝은 노란색(희망. 색이 밝을수록 강렬한 희망이었다) 큐브가 나왔다. 그 큐브들은 바구니에 담겨 컨베이어 벨트를 타고 프론트 직원 제인에게로 전해졌다. 그리고 해피는 그곳에서 나와서 클라우드 오페라 하우스에서 빠져나왔다. 낮잠 시간이라 그런지 아주 사람들이 많았다. 그리곤 뛰어서 다시 기차에 탔다. 다시, 집으로.

해피는 자신의 강아지 텐트에서 잠이 깼다.

일어나자마자 아쉽다는 생각밖에 들지 않았다. 그때 제니와 제니의 엄마와 아빠가 왔다.

"해피, 잘 잤어?"

제니의 엄마가 말했다.

"하루종일 잠만 잤네 보네. 아이구.. 얼마나 힘들었으면.. 우리가 신경도 안 써서 이 지경이 됐나…"

엄마가 훌쩍이자 아빠가 엄마를 다독여 줬다.

"해피, 주말에 여행갈까?"

아빠가 해피에게 물었다. 그러자 해피는 열정적이게 짖었다.

"해피, 정말 미안해. 많이 사랑해 주지 못해서.. 내가 미안해…"

제니가 말했다.

"앞으로는 많이 사랑해줄게.. 흑흑흑"

제니의 울음보가 터졌다. 해피는 그런 제니에게 말없이 꼭 안겼다.

그 뒤, 제니는 해피와 같이 놀러 다녔다. 그리고 해피도 '라라'와 놀 때가 많아졌다. 어떻게 놀았냐고? 신기하게도, 라라는 해피와 같은 아파트, 같은 동, 같은 라인에 살았다. 해피는 '진짜 행복을 찾은 것 같아.'라고 깨달았다.

* * *

"방금 들었어?"

세바스찬이 말했다. 세바스찬은 항상 쓸모 있는 소식통이었다.

"뭘?"

"8구역 23그룹의 저스틴, 제이크, 레오가 우리 질투해!"

"왜?"

"우리가 동물 복지 꿈에서 너무 성공해서?"

세바스찬이 애매한 표정을 지으며 대답했다. 세바스찬의 표정에는 약간의 기쁨이 묻어났다.

"하하하!" 모두들 뿌듯함에 웃었다.

"이제 더 멋진 꿈을 만들어야지!"

"우리, 현실과는 차별화된 꿈을 만들어보자!"

주디가 말했다.

"예를 들어?"

제임스가 물었다.

"음… 과자학교?"

주디가 고민하다 말했다.

"…왜?"

"지금 다니는 학교가 얼마나 좋은 학교인지 알려주는 거지. 과자학교에서는 항상 재밌고 맛있는 일들만 벌어지지만, 나중에는 이가 썩어서 고생을 하는 거야!"

주디가 말했다.

"오~! 좋은데?"

"제대로 만들어보자!"

모두들 외쳤다.

"그래!"

"일단 학교가 어떻게 생겼는지 묘사를 해보자!" 주디가 말했다.

"응!"

"..일단 학교 전체가 과자로 되어 있어. 심지어 책상, 의자까지도 말이야. 분필은 생크림, 칠판은 민트로 되어있어. 과목들도 과자에 대해 배우지." 엠마가 말했다.

"과자를 먹고 자르며 수학을 배우고, 과학에서는 과자를 발명해. 그리고 학교에서 최고의 과자를 뽑아서 가장 맛있는 과자를 만든 이에게 상을 주지. 사회에서는 과자의 역사에 대해 배워. 과자가 만들어진 연도를 다 외워야 해. 하지만 이 과자학교에서는 양치를 못하게 해. 그래서 더욱 과자를 사랑하게 만들지." 세바스찬이 말했다.

"하지만 행복에는 불행이 따르는 법! 이가 다 썩어서 엄청 힘들어져. 그래서 지금 다니는 학교가 즐거워지는! 그런 꿈을 만들자!" 주디가 맑은 목소리로 말했다.

"상세설정은 이정도면 다 된 것 같은데?"

"응! 내가 대본 쓸게. 내가 아이디어를 냈으니까 말이야."

주디가 말했다.

주디가 대본에 이렇게 썼다.

〈과자학교〉 1200석
+친한 친구 1명: 자기 자신과 아주 닮은

1교시 국어
:과자, 요리 용어 배우기

2교시 수학
:과자를 자르고 맛있는 잼을 바르며 분수÷자연수 하기

3교시 음악
:과자를 두드리며 소리 내기

4교시 미술
:과자로 그림 그리기

5교시 과학
:과자 발명하기
->매달 마지막 주 금요일에 하는 '훌륭한 과자 뽑기 대회' 준비도 하기

6교시 체육
:과자 판으로 젤리 바다 위에서 서핑하기

"어때?"

주디가 말했다.

"너무 좋아!"

엠마가 감동한 듯 몽롱한 표정으로 말했다. 그녀도 과자학교에 가고 싶은 듯 했다.

주디가 말했다.

"아직 놀라긴 일러."

그러곤 주디가 미소를 지으며 종이에 무언가를 써내려 갔다.

결국 충치가 생겨 고생을 한다.

"뭐?"

세바스찬이 소리쳤다.

"이래야 참된 꿈이지."

주디가 만족스러운 듯이 말했다.

"좋네!" 엠마와 제임스가 말했다.

"파이프로 보낼게!"

* * *

안나는 이제 막 6학년이 되는 명랑하지만 조금은 조용한 소녀다. 안나는 항상 공부를 잘해서 선생님들께 칭찬을 받는 우등생이었다. 마치 안나가 표본이라도 된 듯, 선생님들은 모두 안나를 본받으라며 다른 학생들에게 말했다. 어느 날, 안나에게도 고민이 생겼다. 5학년 때까지만 해도 재밌었던 공부가 재미없어진 것이다.

물론 학교 다니는 것도 재미가 없어졌다. 가장 큰 이유는 안나의 아주 친한 친구인 비비안이 입원을 해서였다. 비비안은 안나를 항상 격려해주던 친구였다. 안나는 비비안의 입원소식을 듣고 정말 슬프기도 하고 놀라기도 해서 펑펑 울었다. 비비안은 안나에게 태양과도 같은 존재였기 때문이다. 빛을 주고, 에너지를 주고, 밝게 빛나게 하는, 비비안은 안나에게 그런 존재였다. 솔직히 비비안은 인기가 많았다. 왜냐하면 비비안은 똑똑하고 운동을 잘해서 여러 인기 있는 여자애들 무리에 여러 번 초대가 들어왔다. 초대는 자신의 무리에 들어오라는 일종의 제안 같은 거였다. 최근에는 '글로리아'라는 부잣집 딸이 비비안에게 초대를 했다. 비비안은 그때 안나하고 너무 친해져 있었기에 완전히 싹뚝, 그 제안을 거절했다. 안나는 비비안이 그런 애들의 초대를 왜 거절했는지 너무 궁금했다. 그래서 안나는 비비안에게 물었다.

"비비안, 왜 글로리아의 초대를 거절했니?"

그러자 비비안이 요구르트를 마시며 태연하게 말했다.

"당연한 거 아니야? 우리는 단짝이잖아. 난 널 좋아하고 말이야. 걔네들보다 만 배 더."

"비비안, 고마워. 나랑 친하게 지내줘서."

"뭘. 넌 날 행복하게 해주잖아. 갚고도 남지."

그때 안나가 본 비비안의 미소는 마치 태양빛 같았다.

하지만 비비안의 부재에도 불구하고 안나의 성적은 그대로였다. 이게 뭐가 고민이냐고 할 수 있지만 안나에겐 안나의 꿈인 의사가 되느냐 마느냐의 아주 심각한 문제였다. 왜냐하면 공부가 재미 없어지면 일에도 흥미를 느끼지 못하게 되고, 멋지고 훌륭한 의사가 되지 못하기 때문이다. 그날 안나는 공부를 하다가 어쩌면 운명적으로, 잠이 들었다.

"안녕하세요, 잭 아저씨!"

안나가 기관사 아저씨인 잭에게 명랑하게 말했다. 늘 그렇듯, 안나는 기관사인 잭과 이야기를 나누기 위해 기관사 아저씨의 자리와 가장 가까운 앞자리에 앉았다. 매일 똑같은 일을 하는 잭에게는 자신에게 말을 걸어주는 안나가 무척 소중한 존재였다. 그들의 인연도 상당히 길었다. 안나가 5살때부터 잭 아저씨가 근무했으니까.

"안나 왔구나. 오늘은 어떤 이야기를 듣고 싶니?"

잭이 물었다.

"..음, 의사 베로니카의 이야기요!"

"그래. 아저씨도 그 이야기 아주 좋아한단다. 옛날에, 베로니카라는 의사가 살았단다. 베로니카는 어렸을 때 엄청 가난했었다고 해. 그래도 시련을 이겨내고, 열심히 일했단다. 그런데…"

안나는 그의 이야기를 열심히 들었다.

"...어려운 아이들을 도와줘서 지금 꿈나라가 이렇게 평온하단다. 우리 정부에서는 그녀의 업적을 기리기 위해 훌륭한 의사에게 주는 '베로니카 훈장'을 준단다."

잭이 말을 마쳤다.

안나가 말했다.

"제가 꿈나라 사람은 아니지만 베로니카 같은 **훌륭한** 의사가 될 거에요!"

"그래, 장하구나. 안나는 충분히 해낼 수 있을 거야."

잭이 그녀를 격려했다.

"하지만 요즘은 공부가 재미없어졌어요."

안나가 우울하게 말했다.

"분명 딱 맞는 꿈이 있을 거야. 걱정하지 마렴."

그때 기차가 도착했다는 소리가 들렸다.

"잘가렴, 안나야. 행운을 빌게."

"네, 잭 아저씨. 감사합니다!"

안나는 가벼운 몸으로 기차에서 내렸다. 그녀는 클라우드 오페라 하우스로 향했다.

거대한 클라우드 오페라 하우스 로비가 보였다. 안나는 자기가 잠이 든 상태라는 걸 깜빡했다. 지금 시간은 클라우드 오페라 하우스에서 가장 한가한 오후 5시. 한창 공부해야 할 시간에 잠이 든 것이다. 안나는 자신의 머리를 쥐어박았다.

'안나야아!'

안나는 그래도 잠든 김에 재밌는 꿈이나 꿔 보자고 생각했다.

그래서 그녀는 그린홀로 향했다. 그린홀은 보통 판타지 꿈을 다뤘다.

그린홀에는 사람들이 정말 없었다. 안나는 상영시간표를 쳐다봤다.
그곳에는 이렇게 적혀있었다.

우주 여행 가는 꿈
우주의 신비를 느껴보세요!
제작진: 8구역 대본창작부 23그룹
      10구역 미술부 1그룹

초능력을 가져보는 꿈
마음에 드는 초능력 쇼핑 후 꿈에서 그 편안함을 마음껏 즐기세요!
제작진: 7구역 대본창작부 46그룹
      8구역 연극부 3그룹
      3구역 미술부 99그룹

과자학교의 입학생이 되어 보는 꿈
과자학교에서의 신기한 경험에 빠져보세요!
제작진: 8구역 대본창작부 24그룹
      5구역 연극부 52그룹
      4구역 미술부 34그룹

안나는 세 번째 꿈에서 멈칫 했다. 안나의 머리속에는 온갖 생각이
맴돌았다.

'과자학교는 내가 지금 다니는 학교보다 재밌을까?'가 제일 궁금한

것이었다. 그 생각에 의해 다른 생각들도 꼬리의 꼬리를 물었다. '과자학교에서는 뭘 할까?'에서 '과자학교에서는 공부를 안 하는 건가?'까지.

안나는 결국 과자학교에 가보고 싶다는 유혹을 견디지 못하고 세 번째 극장으로 들어갔다.

안나는 과자학교에 입학했다. 그녀는 과자학교의 첫 입학생이었고, 정말 들떠 있었다.

방학식을 하는데, 갑자기 검은 생머리에 민트색 머리띠를 쓴 아이가 멍 때리고 있던 안나에게 다가왔다.

"안녕? 내가 네 옆에 앉아도 될까?"

"어, 으응.."

안나가 대답했다. 알고 봤더니 선생님들께서 키가 비슷한 사람끼리 두 줄로 앉으라고 말했던 것이다. 그 아이는 안나와 이상할 정도로 키가 비슷했다. 아니, 똑같았다.

"네 이름은 뭐야?"

아이가 어느새 막대 사탕을 핥으며 말했다.

"나? 안나 윌슨.."

"아, 그래? 난 아이린 앤더슨이라고 해. 만나서 반가워, 안나야."

"그래, 아이린. 우리 친하게 지내자."

그렇게 우리는 금세 친해졌다. 이곳 선생님들께서는 생크림으로 된

분필을 사용하신다. 그리고 칠판은 민트로 되어 있고, 의자와 책상은 카나페에 들어가는 과자 같이 생겼다.

아, 선생님들을 설명해 주는 걸 깜빡했다. 한 줄로 말하자면, 이곳 선생님들은 정말 독특하다.

일단 국어 선생님인 라일리 선생님은 두꺼운 뿔테 안경을 쓰고 있고 항상 이상한 말을 중얼거리신다. 물론 우리는 하나도 알아들을 수 없는 말이다. 라일리 선생님은 과자학교의 선생님답게 항상 머리핀 대신 막대사탕을 머리에 꽂으신다. 그리고 먹고 싶으실 때 먹는다고 한다.

그리고 수학 선생님인 아서 선생님은 그나마 가장 멀쩡하시다. 수학 수업을 할 때는 엄청 무서우시고 엄격하신데 수업이 끝나면 매일 초콜릿을 뚝뚝 끊어서 우리에게 주신다.

음악 선생님이신 크리스탈 선생님은 항상 투명한 사탕으로 된 귀걸이를 차고 계신다. 그리고 고개를 흔들면 그 사탕에서 맑은 종소리가 난다. 크리스탈 선생님의 책상에는 신기한 사탕들이 아주 많다. 보석 사탕이 대표적인데, 사파이어, 아쿠아마린, 루비, 자수정, 진주 맛 등 정말 맛있는 사탕이 많다. 그리고 사탕이 보석과 똑같이 생긴 것도 꽤 볼만 하다. 크리스탈 선생님 같이 상냥한 선생님은 없을 거다.

미술 선생님이신 비앙카 선생님은 항상 밝은 노란색, 주황색 옷만 입으신다. 그리고 비앙카 선생님의 주머니에는 온갖 과자들이 들어있다. 그런데 하나같이 다 맛있다. 비앙카 선생님의 수업은 미술이 아니라 요리 수업 같다. 비앙카 선생님은 항상 우리에게 **활짝** 웃어주신다. 가끔씩 그게 무서울 때도 있지만.

과학 선생님이신 벤틀리 선생님은 아멜리아와 나의 최애 선생님이다. 벤틀리 선생님은 하루 종일 연구실에서 멋진 과자를 개발하신다. 벤틀리 선생님은 안경을 쓰고 있고 평범한 흰 가운을 입고 계시는데, 그래서 다름 아닌 의사 같다. 그래서 나와 아이린의 마음을 뺏어간 것이다. 참고로 아이린의 꿈도 의사다.

마지막, 체육 선생님이신 헨리 선생님은 젊고 활발하시다. 헨리 선생님은 매우 쾌활한 성격이신데, 어린아이 같이 장난을 많이 치신다. 체육쌤은 그래도 젤리 서핑은 정말 잘 하신다. 왕년에는 젤리 서핑 선수도 했다고 한다. 믿을 수 없지만.
하지만 인정할 수밖에 없는 것은, 젤리 서핑은 정말 재미있다는 것이다. 젤리가 파도처럼 넘실거릴 때 서핑을 하면 그야말로 기분이 최고다.

나와 아이린은 과자학교에 다니면서 달디단 하루를 살았다. 우리는 매달 하는 훌륭한 과자 뽑기 대회에서 우승하기 위해 여러 과자들을 연구했다. 하루 종일 매력 있는 단 맛을 만들기 위해 얼마나 열심이었던가. 오랜만에 학교에서 재미를 느꼈다.

앗! 이가 아파온다. 찌릿찌릿 고통이 느껴진다. 난 참아보려 했지만, 너무 아팠다. 그런데 학교에는 보건실이 없다고 한다. 갑자기 선생님들이 무섭게 변했다.

"안나, 참아! 참으라고!"

헨리 선생님이 말했다.

"너 같이 이가 썩는 아이는 데리고 있을 수 없다. 당장 나가!" 상냥했던 크리스탈 선생님이 소리쳤다.

"너에게 잘 해줬건만.. 얼른 나가!" 벤틀리 선생님이 말했다.

"아아아아악!"

난 소리치면서 극장에서 나왔다.

"후유… 다행이야."

난 프론트로 가 모자를 썼다.

'무서움' (짙은 검정색),

'행복' (연분홍색),

'울림' (가슴속 깨달은 것, 진한 보라색)

큐브를 지불했다.

안나는 항상 지루해질 때마다 과자 학교를 떠올린다. 그럴 때마다 안나는 항상 '학교를 다니고 있는게 어디야.'라는 생각을 한다. 아, 그리고 안나에게 좋은 소식이 하나 있다.

비비안이 돌아온다!

15년 후,

안나는 의대에 들어갔다. 그리고 남을 돕는 **훌륭한 의사**가 되었다. 안나는 기자들이 성공한 비결을 물으면 항상 이렇게 3가지를 답한다.

'내일의 나를 뛰어넘는 훌륭한 의사가 되자.'

'힘든 상황에 처한 이에게 아낌없이 기부하자.'

'항상 지금에 감사해라.'

인터뷰에서 기자가 세 번째는 무슨 뜻이냐고 물었을 때, 안나는 슬며시 미소를 짓는다.

* * *

"나 또 만들고 싶은 꿈이 생겼어."

주디가 말했다. 주디는 말하면서도 이 일이 자신의 적성에 매우 맞는다고 생각했다.

"뭐? 이 정도면 충분한데?"

세바스찬이 말했다.

"아니, 난 안 충분해. 행복했던 순간을 담은 꿈! 꼭 만들고 말거야."

"그래…"

주디의 고집은 정말 셌다.

"주문제작으로 만들자. 주문제작을 맡는 사람은 당연히 우리!"

"뭐어?"

"우리는 초보야, 주디!"

주디의 뜻을 항상 존중해주던 엠마가 말도 안된다는 듯 반박했다.

"괜찮아. 초보인 게 뭔 상관이야, 안 그래?"

그렇게 '주문제작: 행복했던 순간을 담은 꿈'이 만들어졌다.

〈LEVEL〉

1.특별 주문제작실에서 활동한다고 에스더나 제인에게 연락.

2.허락을 받으면 대본 작성부 이름으로 사용하기.

3.사람들이 오면 직접 주문제작해주기(누군지는 선착순).

4.대본을 연극부에 보내기.

"처음 손님을 누구일까? 너무 궁금하다."

주디가 꿈 꾸는 듯 말했다.

다른 팀원들도 이 일에 흥미를 느끼기 시작했는지 불평은 하지 않았다. 지금은 1번과 2번까지 단계는 끝낸 상태였다.

갑자기 '기지 전용폰'의 벨소리가 울렸다. 잔잔하지만 듣기 싫은 요상한 벨소리였다.

가장 가까이 있던 엠마가 받았다.

"네, 여보세요? 아, 네. 알겠습니다. 네. 감사합니다. 끊을게요." 엠마가 전화를 끊었다. 엠마가 통화하는 것을 들으면 모두들 엠마가 참 야무지다는 생각을 할 것이다.

"3단계 클리어! 주문 들어왔어." 엠마가 걱정 반 기대 반인 표정을 지으며 말했다.

"누구야?" 제임스가 물었다.

"30대 중반 여성. 이름은 소피아. 행복한 순간을 찾아내기 위해 조사 좀 해야겠어!"

* * *

소피아는 안정된 가정을 가진 아기 엄마다. 소피아에게는 멋진 남편과 예쁜 딸이 있다. 딸 줄리아는 지금 7살이다. 아, 그리고 강아지 로라까지.

소피아는 자신이 정말 행복하다고 느낀다.

지금으로부터 3년 전, 소피아의 할머니인 메리 존슨이 돌아가셨다.

소피아는 거의 할머니 손에 자랐다. 할머니는 소피아를 위해서는 모든 일을 다 하셨다. 그때 소피아는 그런 할머니가 얼마나 소중한지 몰랐다. 소피아가 서른 살 때, 할머니는 갑작스럽게 암에 걸리셨다. 소피아는 너무 충격이 컸다. 막상 할머니가 암에 걸리시니까 많은 생각이 떠올랐다. 그 중 가장 떠올랐던 건, '할머니하고 지낼 수 있는 시간이 얼마나 남았을까?'였다.

할머니는 소피아에게 "사람은 언젠간 죽는단다. 신께서 나를 부르시는 모양이야. 소피아, 난 절대 널 떠나지 않는단다. 네 행동, 네 말투, 네 마음에 모두 내가 함께 있을 거야."라고 말했다. 그로부터 5달 후,

할머니가 눈을 감으셨고 세상과 이별하셨다. 소피아에게 여러 감정이 물밀듯이 들어왔다.

가장 컸던 감정은 '슬픔'과 '충격' 그리고 '죄책감'이었다. 소피아는 그동안 할머니에게 대했던 자신의 태도가 부끄러워졌다. 소피아는 그날 방에서 혼자 소리 없이 울었다. 모든 슬픔을 털어낼 때까지.

밖에서 소피아의 남편인 알렉산더와 딸 줄리아가 대화하고 있었다.

"아빠, 엄마 왜 우는 거야?"

알렉산더가 어둡게 말했다.

"으응.. 엄마는 지금 길고도 어두운 터널을 지나고 있단다."

"왜?"

줄리아의 물음으로 부터 들려온 알렉산더의 대답은 침묵이었다.

소피아는 잠자기 전에 항상 기도를 하고 잔다.

"할머니, 저를 용서하세요. 그리고 오늘 밤 제 꿈에 나와 주세요."

소피아는 할머니가 사진으로 보는 것은 느껴지지 않고, 영상으로는 볼 용기가 안 날 때가 있다.

차라리 할머니가 꿈에 나와 주신다면…

* * *

"주디야, 그냥 메모리칩을 꺼내서 참고한 다음에 편집해서 연극부에 보내주는 게 낫지 않을까?"

엠마가 힘없이 말했다.

"아무래도 그래야 할 것 같아. 너무 어려워.." 주디가 말했다.

"그럼, 계획을 수정한다. 메모리칩을 사용해 대본 쓰기. 3번에 추가하면 되겠네." 엠마가 말했다.

"그래."

주디가 대답했다.

메모리칩이란, 세상 사람들에게는 하나씩은 있는 기억 저장 USB 같은 것이다. 솔직히 메모리칩하고 USB 같은 것을 비교해서는 안 된다. 메모리칩에는 어마어마한 양의 기억 정보가 들어있었다. 그 메모리칩은 클라우드 오페라 하우스 '관리실'에 있다. 하지만 그곳에 가려면 팀장 한 명의 동의서가 필요했다. 아주아주 위험하고도 중요한 곳이기 때문이다. 메모리칩이 손상되면, 그 사람의 기억도 손상되기 때문에 그야말로 망한 거다. 그 뒤까지는 생각하지 않기로 하겠다. 띠딩! 그 순간 에스더 팀장님으로부터 연락이 왔다. 엠마가 관리실에 가기 위해 에스더 팀장 님에게 허락을 받는 메시지를 보냈다보다.

에스더 8구역 팀장
: 엠마, 관리실 가도 되는데 조심히 가야 해. 갈 거면 혼자 가던가 꼼꼼한 애 보내.

저 혼자 갈게요! 걱정 마세요^^ : 8구역 24그룹

에스더 팀장은 에스더 팀장답게 정말 딱딱한 메시지를 보냈다. 주디는 자기도 모르게 웃음이 나왔다.

엠마는 지금 관리실로 가고 없었다.

그 시각, 관리실

"소피아 릴리벳 리베라 존슨, 소피아 릴리벳 리베라 존슨, 소피아 릴리벳 리베라 존슨….. 아 진짜 이름이 왜 이렇게 길어! 아, 근데 지금까지 소피아 한 1000명은 넘게 본 것 같은데…"

어? 저기 검색대가 있었다.

"와아아! 검색대다!"

엠마가 반가운 듯 달려갔다. 컴퓨터를 안아주기라도 할 기세였다. 엠마가 말했다.

"하긴… 여기에 검색대 없으면 끝판 왕이다, 진짜."

엠마가 타자를 쳤다. 그녀의 타자는 갈수록 강렬해졌다.

한참 뒤 엠마가 말했다.

"찾았다! 소피아 릴리벳 리베로 존슨!"

검색대 옆에 있는 조그마한 기계에서 종이 한 장이 나왔다.

"잠깐만 D열 18943번이… 여기부터가 D열이니까, 아 참나. 그냥 알아서 찾으라는 거잖아!"

엠마가 다시 화를 냈다.

한~참 뒤, 그녀는 소피아의 메모리칩을 찾았다.

24번 기지에서는 한참동안 논의가 이어졌다. 중간 중간 의견 차이로 세바스찬과 엠마의 화산이 둘 다 폭발해서 주디는 냉장고에서 시원한 요거트를 꺼냈다. 한동안 쩝쩝 거리는 소리가 이어지고 나서 다시 회의를 시작했다. 메모리칩에서 홀로그램이 튀어나오는 것을 모두들 말없이 지켜보고 있었다.

"아무래도 할머니가 나오는 꿈이 낫겠지?"

엠마가 말했다.

"당연하지. 근데 어떤 상황을 연출시킬지가 문제야."

주디가 말했다.

"음, 할머니랑 호텔가는 꿈?"

세바스찬이 말했다.

"너무 식상해."

주디가 말했다.

"그럼 할머니, 줄리아와 함께 운동 하는 꿈? 어때? 건강도 좋아지구."

제임스가 자신 없는 목소리로 말했다.

"너무 좋아!"

주디가 이제야 답을 찾았다는 듯 대답했다.

"뭐!! 호텔 가는 꿈이 식상하다며! 그렇다 치면 운동하는 건 얼마나 식상하다고!"

세바스찬이 발끈했다.

주디가 설명을 시작했다.

"호텔 가는 건 소피아에게 더 죄책감을 안겨 줄 거야. 왜냐면 소피아가 평소에 할머니랑 여행을 안 갔으니까. 메모리칩에서 봤잖아. 하지만 줄리아와 할머니와 함께 운동하는 건 평소에 했었던 일이잖아. 줄리아가 3살 때 할머니와 운동을 진짜 많이 갔으니까 시간 배경은 그 때로 하자."

"음… 그래, 그러지 뭐."

세바스찬이 말했다. 자신이 말했던 것이 부끄러웠던 모양이었다.

그렇게 넷은 줄리아, 할머니와 함께 운동하는 꿈을 만들기로 했다.

* * *

소피아는 그날도 울었다. 암흑기란 이럴까? 소피아는 갑자기 잠이 쏟아졌다. 침대에 누워 생각했다.

'오늘만이라도 할머니를 보게 해주세요. 제발…'

그러곤 소피아가 잠에 들었다.

소피아는 기차를 타고 있었다. 밖의 풍경은 정말이지 멋졌다. 졸졸졸 흐르는 시냇물, 푸릇푸릇한 산, 알록달록 색색의 꽃들. 아름다운 오후였다 소피아는 오랜만에 행복한 기분을 만끽하기 위해 주머니에서 향수를 꺼냈다. 할머니가 주신 대다, 그 향수의 향기를 맡으면 기분이 좋아졌기 때문에 아껴두고 있는 향수였다. 향수에서는 할머니 냄새가 났다. 향수는 타원형의 병에 담겨있었으며, 옅은 분홍색이었다.

"칙!"

향수가 공기 중에 나부꼈다. 향수의 향은 마치 냄새 좋은 꽃들을 모두 다 모아 놓은 것 같은 아름다운 향기를 가지고 있었으며, 할머니 냄새가 조금 나서 소피아의 기분을 충분히 좋게 만들었다. 소피아가 향수를 다시 주머니에 넣는 사이, 누군가가 들어왔다.

아니, 누군가가 아니라 소피아가 키우는 강아지인 로라였다. 로라는 소피아를 찾아 해매였던 모양이었다. 로라의 윤기 나는 검정색 털은 지금 엉망진창으로 흩어져 있었다. 로라가 소피아에게 다가왔다.

"월.."

로라가 소피아에게 말했다, 아니 짖었다. 로라는 소피아의 기분을 아는 것만 같았다.

"로라! 털이 이게 뭐야.."

소피아는 로라를 꾸짖으면서도 반가운 기색이 묻어나오는 것은 어쩔 수 없었다.

소피아는 로라의 털을 손으로 매만져주었다. 소피아는 로라에게 말했다.

"로라, 넌 무슨 꿈을 꾸고 싶니?"

그때, 스피커에서 한 여자의 음성이 흘러나왔다.

"이제 우리 기차는 곧 문브릿지에 도착합니다. 내릴 준비 부탁드립니다."

로라가 갑자기 소피아를 가리키며 걷는 척을 했다.

"산책하는 꿈?"

"월월!"

로라가 힘차게 대답했다.

"이제 가자!" 소피아가 말했다.

소피아는 기차에서 내려 클라우드 오페라 하우스로 향했다.

몇 분 뒤, 그녀는 클라우드 오페라 하우스의 정문 앞에 있었다. 육중한 문을 열고 들어가자, 여러 공연장이 색깔로 표시되어 있었다. 소피아는 그 중 실버홀로 발걸음을 옮겼다.

실버홀. 주로 평범한 꿈을 다루는 곳이었다. 소피아는 오늘따라 그곳에 가고 싶었다.

소피아가 실버홀에 도착했을 때, 실버홀은 무척 한적했다.

모두들 평범한 꿈을 꾸는 것을 꺼려했기 때문인 것 같았다. 소피아는 상영시간표를 바라봤다. 상영시간표에는 오페라가 2개 밖에 없었는데, 그것도 사람이 없어서 인 것 같았다.

행복한 순간이 나오는 꿈(주문제작)
과거에 행복했던 순간을 다시 꿈꿔보세요!
제작진: 8구역 대본창작부 24그룹
　　　　7구역 연극부 2그룹
　　　　6구역 미술부 30그룹

유명인이 되어 하루동안 살아보는 꿈
유명인이 되어 그 기분을 맘껏 누리세요!
제작진: 3구역 대본창작
　　　　3구역 연극부 38그룹
　　　　4구역 미술부 6그룹

"이거다!" 소피아가 첫 번째 행복한 순간이 나오는 꿈을 가리키며 말했다. 왠지 할머니가 나올 것 같아서였다. 소피아는 첫 번째 극장으로 들어갔다,

신기하게도 극장에는 소피아 한 명뿐이었다. 소피아는 의자에 앉자마자 할머니가 나왔다. 정확히 말하자면, 할머니와 똑 닮은 사람이 나왔다. 3살 줄리아와 로라도 있었다.

소피아와 할머니, 줄리아와 로라는 옛날에 살았던 동네에서 운동을 하며 수다도 떨고, 이야기도 하며 소피아가 요즘 겪었던 일에 대해 이야기하기도 했다. 너무너무 행복했다.

"할머니, 요즘 제가 줄리아하고 같이 있는 시간이 많아져서 좋아요."

"그렇겠구나. 나도 매일 너희랑 이렇게 운동을 해서 너무 좋구나."

"저도요.."

"소피아, 가끔 내가 그립니?"

"네?" 소피아는 갑작스러운 할머니의 물음에 너무 놀라서 소리쳤다.

"내가 그립다면, 그리워하지 말아라. 난 항상 네 곁에 있단다. 네 마음속에, 네 기억 속에. 난 너를 잊지 않아. 언제까지나, 영원히 말이다. 소피아, 사랑한다."

메리 할머니는 그 말을 하고서 어디론가 사라졌다. 소피아는 북 바쳐 오르는 눈물을 참고 할머니에게 손을 흔들었다. 이 모든 걸 기억할 수 있을 때까지.

소피아는 방에 들어가 큐브를 지불했다.

'슬픔.'

'감동.'

'기쁨.'

'울림.'

'행복.'

무려 다섯 가지나.

소피아는 요즘 다시 행복해졌다. 그리고 할머니를 보게 해달라고 다시 기도하지 않는다.

이미 봤고, 할머니가 영원히 소피아의 마음 안에 있다는 걸 알았으니까. 언제까지나, 영원히.

* * *

"이정도면 오늘 할 일은 끝! 내일은 더 멋진 작품을 만들어 보자구! 화이팅, 24그룹!"

제임스가 말했다.

"근데 우리 이름 짓자."

주디가 말했다.

"무슨 이름?"

"그룹 이름! 오늘처럼 이렇게 하면 너무 좀 재미가 없을 것 같아."

주디가 답했다.

"꿈나무 그룹!" 세바스찬이 말했다. 그것을 듣자마자 엠마는 "야, 너무 유치하잖아. 무슨 유치원 이름 같다."라고 말했다.

"그럼 꿈뿌리 24그룹은 어때?" 제임스가 제안했다.

"음..." 엠마는 아무말도 없었다. 별로인 듯했다.

"희망 제작소, 24모둠은? 우리의 목적이 사람들에게 희망을 심어주는 거잖아." 주디가 말했다.

"우아~ 좋다! 그걸로 하자!" 엠마가 기쁜 듯이 소리쳤다.

"왜 우리는 맨날 이런거 지을 때 안해주는 거야.." 세바스찬이 제임스와 생각을 나눴다. 제임스도 고개를 끄덕였다.

제임스와 세바스찬은 엠마를 못마땅해 하며 24번 기지를 떠났다.

"모두들 안녕! 내일 보자." 둘은 기쁘게 말하고 기지를 빠져나갔다.

* * *

"제임스 도련님! 이제 일어나셔야죠."

부드러운 목소리의 유모가 7살 남짓한 남자아이를 깨웠다.

아이는 어제 옛날이야기를 너무 많이 들어서 진심으로 졸린 듯 했다.

"응 알겠어, 릴리.. 근데 오늘은 너무 피곤해…"

"매일 그렇게 꾀병 부리시면 안돼요. 공부 열심히 해서 네셔널 센터에서 일하시거나 잘하면 총리도 되고. 아니면 루이스 외삼촌처럼 오페라 하우스에서 일하시거나 팀장 정도는 되야죠."

내 이름은 제임스. 무역으로 부자가 된 부잣집 외동아들이어서 남부

럽지 않게 산다. 그런데 어느 날부터 운동을 좋아해서 아버지의 걱정이 크다. 내가 가장 좋아하는 운동은 암벽등반. 암벽등반을 하고 맨 꼭대기로 올라갔을 때, 정말 짜릿하다. 나도 내가 왜 운동을 좋아하게 된 건진 모르겠지만, 취미 정도로 운동을 하나 하면 좋을 것 같다는 어머니의 조언에 운동 개인 레슨을 받았을 때부터 관심이 생긴 것 같다.

"도련님, 오늘 도련님이 좋아하실 만한 손님이 온답니다. 빨리 옷 갈아입고 나가셔야 해요."

"누군데?"

제임스가 기지개를 켜며 물었다.

"루이스 외삼촌이요! 오페라 하우스에서 일하시는 분 말이에요."

"정말?" 제임스가 언제 졸렸냐는 듯, 눈을 번쩍 뜨고 옷도 갈아입지 않고 나가려고 하자, 릴리가 제임스의 팔을 붙잡았다.

"옷은 갈아입으셔야죠."

루이스 외삼촌은 제임스의 엄마 이자벨의 남동생이다. 루이스 외삼촌은 오페라 하우스에서 일했는데, 워낙 그곳 이야기를 재미있게 해주셔서 제임스는 루이스 외삼촌을 좋아했다. 루이스 외삼촌은 올 때마다 신기한 물건들도 많이 가져왔는데, 그중 문스톤 팬던트(물론 모형)도 있었다. 제임스는 이 팬던트가 너무 좋아서 잘 때마다 머리맡에 두고 잤다.

제임스가 옷을 다 갈아입고 나서 복도를 달려 릴리 몰래 대리석 계단 난간을 타고 내려왔다. 릴리에게 들키면 위험하다고 혼날 게 뻔했다. 그리고 루이스 삼촌이 식탁에 앉아 있는 것을 보고 전력 질주해 삼촌에게 달려갔다. 그러자 삼촌이 말했다.

"아이고 이 귀여운 녀석! 7살 애기가 제일 귀엽다니까! 더 크면 안되는데. 하하!"

그 모습을 보고 이자벨은 흐뭇하게 미소를 지었다.

"오늘은 클라우드 오페라 하우스에 있는 펜을 가져왔단다. 이 반짝거리는 게 마치 달이 빛나는 것 같지 않니? 여기 가운데에 박혀있는 보석이 바로 문스톤이란다. 값도 꽤 나가서 팀장들 사이에 인기가 많지. 팀장들만 주는 거란다."

"네! 정말 신기해요."

"마음에 드니?" 루이스 삼촌이 물었다.

"네! 완전요!"

"그럼 주마. 자, 여깄다."

"삼촌, 정말요? 이렇게 귀한 걸.. 진짜진짜 감사합니다!" 제임스는 너무 기뻐서 팔딱팔딱 뛰며 소리쳤다.

그러면서 제임스는 점점 클라우드 오페라 하우스로 가고 싶다는 마음이 커졌고, 17년 뒤 그의 소망을 이루어 냈다.

제임스는 오페라 하우스에 처음 온날을 잊을 수가 없을 것이다. 그때, 제임스는 '부잣집 아들'이라는 꼬리표를 달고 있었다. 다른 팀원들은 그런 제임스가 부러워서 거의 제임스를 피하다시피 했다. 그때 기억 때문에 주디에게는 절대 그런 행동을 하지 않겠다고 다짐했다.

그렇게 외로운 나날들을 지내고 있는데, 세바스찬이라는 친구가 제임스에게 다가왔다. 세바스찬과 제임스는 금방 친구가 되었다. 제임스는 세바스찬과 같은 기지에서 일할 수 있어서 기쁠 따름이었다. 비록 루이스 삼촌이 맡고 있는 구역인 1구역에 들어가진 못했지만 말이다.

* * *

엠마와 주디만 남았을때, 주디가 조심스럽게 말했다. 엠마가 자신과 근처에 살면 같이 가자고 할 계획이었다.
"저기 엠마, 혹시 어디 사니?"
"아 난 마법의 강 맞은편 크림번지에 살아. 너는?"
"나돈데! 우리 같이갈까?"
"그래!"

* * *

엠마는 원래 작은 마을 변두리에 살았다. 그곳은 아주 조용하고 아름다웠다. 부모님이 유명한 빵집을 하셔서 넉넉한 집안에서 자란 엠마는 매일 같이 마을을 탐험하고 다녔다. 매일 친구들과 생일 선물로 받은 흰색 조랑말, 포피를 타고 돌아다녔고, 생일선물로 받은 배 고양이호로 호수를 탐험하기도 했다. 친구들은 그런 엠마를 '탐험가 엠마'라고 불렀다. 그렇게 자유분방하게 자랐음에도 불구하고 엠마는 기가 막히게 머리가 좋았다. 그런 엠마에게도 꿈이 있었다. 바로 온 세계 이곳저곳을 탐험하는 탐험가가 되고 싶었던 것이다. 하지만 엠마는 학교 선생님의 눈에 들어 '오페라 하우스로 가는 건 어떻겠냐'라는 선생님의 말에 호기심이 생기기 시작했고, 이곳, 클라우드 오페라 하우스로 온 것이다. 그래서 부모님과 엠마는 클라우드 오페라 하우스 근처인 크림 번지로 이사 왔다. 물론 부모님도 어렵게 빵집을 옮기셨다. 엠마는 항상 엠마를 위하는 부모님께 감사하다고 느낀다. 그녀는 매일 아침 6시에 일어난다. 엠마가 빨리 일어나게 된 까닭은 아침 일찍 빵집으로 일하러 가시는 부모님의 영향을 많이 받아서였다. 엠마는 매일 반복되는 하루를 달갑게 여기지 않았다. 그녀는 작년에 클라우드 오페라 하우스로 왔는데 하필 그때가 팀원을 바꾸는 연도였기에, 시끄럽다는 걸로 소문이 자자한 세바스찬과 같은 팀이 되었다. 그리고 다른 아이는 무뚝뚝한 남자애여서 엠마는 너무 실망했다. 한숨을 푸욱~ 쉬고 출근할 준비를 했다. 오늘 그녀에게 벌어질 일조차 까맣게 모른 채.

* * *

"주디, 나는 네가 여기 온게 정말 행복해."

진심이었다. 엠마의 말에 주디는 활짝 웃었다.

"근데 엠마, 너는 어떻게 클라우드 오페라 하우스에 빨리왔니?"

"난 올리비아 교수님께서 날 믿으신다면서 빨리 졸업시켜 주셨어. 그 대신 이 클라우드 오패라 하우스만 갈 수 있다고 하더라고? 그런데 내 목표는 클라우드 오페라 하우스였으니까, 그냥 빨리 대학교를 나왔지. 그런 머리 아픈 곳에 오래 있어서 좋을 게 뭐가 있어? 근데 나도 공부 좀 했다고! 보고서도 내가 매일 칭찬 받았지! 그런데 제임스도 루나 대학교에 차석인가로 졸업했다더라.. 세바스찬은, 나도 잘 모르겠어. 솔직히 걔가 여기 왔다는 게 신기해."

"나도 신기해..." 주디가 말했다. "우리 핫도그 먹으러 갈래?" 주디가 엠마에게 물었다.

"그래! 좋아!" 엠마가 말했다.

둘은 핫도그가게로 향했다. 주디가 여기로 이사오고 나서부터 자주 가던 핫도그가게가 있었는데, 이름은 '버니 핫도그'였다. 이름이 왜 그런지는 모르겠지만, 아무튼 이곳 핫도그가 주디가 여태 먹어본 핫도그 중에 가장 맛있었기에, 새로 사귄 친구 엠마에게도 이 핫도그를 맛보게 해주고 싶었다. 둘은 버니 핫도그 가게로 도착해서 주문을 했다. 메뉴판에는 이렇게 적혀 있었다.

〈버니 핫도그 메뉴〉

치즈 핫도그 : 0.3 파우터   치킨 핫도그 : 0.4 파우터

크림 핫도그 : 0.3 파우터   감자튀김 핫도그 : 0.4 파우터

스테이크 핫도그 : 0.5 파우터   새우 핫도그 : 0.3 파우터

(1파우터는 한화 약 10000원임)

주디는 치즈 핫도그를, 엠마는 감자튀김 핫도그를 시킨 뒤, 결제를 했다. 아주머니는 주디를 알아보더니, 엠마의 핫도그를 포함한 가격인 0.7 파우터에서 0.5 파우터로 깎아주셨다. 핫도그가게로부터 멀어져 가며 엠마가 주디에게 물었다.

"주디, 어떻게 된 거야? 여기 와 본 적 있어?"

"당연하지! 여기로 이사 온 뒤부터 거의 매일 왔어!"

"그래서 아주머니께서 널 알아보시고 깎아주셨구나!"

"맞아! 일종의 포인트랄까?"

"나도 많이 가서 사먹고 포인트 받아야겠다!" 엠마가 결심한 듯 말했다. 그 말에 주디가 깔깔깔 웃었다.

둘은 조잘거리며 오늘따라 유난히 아름다운 하늘 밑, 마법의 강 옆에서 조깅하는 사람들을 보며 집으로 향했다.

03. 꿈에 그리던 마을

주디는 아침 일찍 일어나 서둘러 집에서 나갈 채비를 했다. 그리고 5분 만에 클라우드 오페라 하우스에 도착해 서둘러 8번 구역의 24번 기지로 향했다. 그 전에 제인에게 인사했다.

"안녕하세요, 제인! 좋은 아침이에요."

"그래요, 주디. 오늘도 파이팅하세요!"

제인은 밝은 목소리로 주디에게 말했다.

"네! 제인도요!"

주디가 미소를 지으며 말했다. 주디는 제인이 성격이 참 좋다고 생각했다. 주디는 직원카드를 기계에 대고 막대가 올라가자, 얼른 8구역으로 향했다. 아직 익숙하진 않지만, 24그룹 기지는 주디에게 아주 아늑하고 포근했다.

주디가 도착했을때는 제임스와 엠마가 이미 와 있었다.

오늘 아침 우리 기지 입구에는 이라고 적혀있는 나무 재질의 판넬이 걸렸다. 엠마가 어제 급히 만들었다고 한다. 엠마다웠다. 판넬에는 이렇게 적혀 있었다.

Hope maker
희망 제작소, 24 그룹 기지
그룹원: Judy, Emma, James, Sebastian

"세바스찬 얘는 또 왜 이렇게 늦는 거야! 항상 지각이라니까."

엠마가 어김없이 화를 내며 말했다. 세바스찬은 정말 하루같이 지각을 했다. 그런데 기지에서는 동에 번쩍 서에 번쩍 하는 그가, 왜 지각하는지는 아무도 몰랐다.

"곧 오겠지. 엠마, 진정해." 제임스가 말했다. 하지만 제임스의 말투에도 약간의 동의가, 섞여있는 듯 했다.

"다음에는 지각하면 벌 받는 규칙이라도 만들어 볼까.. 심부름 들어주기 같은 거 말이야." 주디가 한숨을 내쉬며 말했다.

그런데 그 말이 끝나기가 무섭게 세바스찬이 들어왔다.

"얘들아! 오늘 우리 클리앙 가는 날이야! 오늘이 바로 그날이라구!"

세바스찬이 서둘러 24번 기지로 들어오며 말했다. 엠마는 화내기 일보 직전이어서 막 얼굴이 빨개지던 참이었는데, 순간 에스더 팀장님이 들어왔다.

"어! 팀장님! 여긴 웬 일이세요? 그리고 클리앙으로 가는 날은 두 달이나 남았는데.."

엠마가 놀라서 입을 가리며 말했다.

"네? 무슨 말씀이세요? 크, 클리앙으로 간다고요?!"

주디가 너무 놀라서 말을 더듬으며 말했다.

"아참! 주디가 모르겠구나. 주디, 지금부터 내가 하는 말 잘 들어라. 클라우드 오페라 하우스에서는 신입생들을 클리앙으로 견학시켜 준단다. 하지만 오늘 내가 클리앙으로 볼 일이 있어서 가는 김에 같이 가기로 했단다. 아르만도 관장님도 허락해 주셨어."

"아 그럼 잘 됐네요!"

모두들 말했다.

"지금 택시가 기다리고 있으니 빨리 나와라."

세바스찬, 엠마, 제임스, 주디가 얼른 기지에서 나와서 에스더 팀장님과 함께 허겁지겁 클라우드 오페라 하우스 정문으로 달려갔다. 노란색 택시 하나가 기다리고 있었다. 에스더 팀장님이 앞좌석에 타고, 네 명이 뒷좌석에 끼어 앉았다. 그때 엠마가 물었다.

"팀장님은 왜 클리앙으로 가야 하세요?"

"나는 우리 8구역의 드림 메이커인 조아나에게 전해줄게 있어서 그렇단다."

"와우! 무엇을요?" 세바스찬이 물었다.

"며칠 뒤에 모임이 있다는 편지란다. 거기에 모임에 들어갈 수 있게 하는 카드가 들어있거든. 워낙 중요한 카드라 내가 직접 배달하기로 했단다. 조아나가 8번 구역 대표 드림 메이커라 보니까, 8구역 팀장인 내가 전해주기로 했단다."

한동안 그들은 말없이 있었다. 들리는 소리는 오직 차의 엔진소리였다. 그 정적을 깬 사람은 바로 제임스였다.

"조아나님은 어떻게 클리앙으로 가게 되셨나요?"

"아, 사막 풍경을 아주 잘 만들어서 연말 꿈 대회에서 미술작으로 우승했단다. 정말이지 잘 만들었었어. 그 나이에 그런 작품을 만든 건 정말 모두를 놀라게 했단다. 한동안 신문이 들썩이기도 했지."

그때, 세바스찬의 놀라움이 뒤섞인 함성 소리가 들려왔다. 그는 창문에 코를 박고 입을 벌린채 바깥 풍경을 쳐다보고 있었다.

"와! 이게 클리앙이구나."

"이렇게 예쁘고 아기자기한 마을은 처음이야. 언젠간 꼭 와보고 싶었어!"

엠마가 말했다.

'나도 꼭 성공해서 이곳으로 올거야.'

주디가 아무도 들리지 않게 자기 자신에게 속삭였다.

주디 일행은 드디어 클리앙에 도착해서 견학을 시작했다. 준비성이 철저한 엠마가 4명의 노트와 펜을 나눠주며 말했다.

"이거 써. 이런 걸 모아두면, 우리의 꿈을 만드는 데 도움이 될지도 모르잖아?"

모두들 작가들의 개성있는 집들을 보았다.

모두들 홀린 듯이 집들을 구경했다. 모두들 개성있는 집들에 감탄하는 사이, 에스더 팀장님이 거울로 된 조아나의 집에서 나와, 이렇게 말했다.

"얘들아, 이제부터 너희는 여러 드림 메이커들의 제작소들을 탐방할 거다. 일단 조아나의 제작소부터 시작하자꾸나."

"우아! 기대된다~" 모두들 외쳤다.

그래서 넷은 꿈의 마을 탐방을 시작했다.

조아나의 집은 외부가 거울로 되어있었다. 그래서 다른 아름다운집들이 그녀의 집에 모두 비쳤다. 정원에는 분홍색, 노란색, 빨간색 등의 색을 가진 튤립이 아주 많았는데, 튤립이 그녀의 집을 더 화사하게 만들어주는 것 같았다. 에스더는 조아나의 집 문을 똑똑똑 두드렸다. 그런데 조아나가 바로 문을 열고 나왔다. 그녀는 긴 검정색 머리를 묶고 있고, 자주색 원피스를 입고 있었는데, 집 안도 자주색이 상당히 많았다. 카펫, 커튼 등의 자주색과 고풍스러운 갈색이 어우러져 우아한 분위기를 풍기는 집이었다. 외부와 내부가 상당이 차이가 나서 모두 놀랐다.

"어머, 에스더 팀장님! 견학생들인가요?" 조아나가 미소를 지으며 말했다.

"응, 맞아. 이 친구들은 특히 우수하니 설명 좀 잘 부탁한다. 꿈나라의 미래를 위해 항상 이렇게 도와줘서 고맙다."

"아니에요. 저도 견학 갈 때가 정말 생생하게 기억에 남고 있어요. 이 친구들도 무한한 가능성이 있으니 제가 당연히 도와야죠."

에스더 팀장님은 문 앞 테이블에서 휴식 시간을 가지기로 했다. 그래서 에스더 팀장을 제외한 넷이 조아나와 함께 시간을 가졌다.

"안녕, 얘들아. 난 조아나란다. 난 풍경을 보는 꿈을 만들지. 만나서 반갑다."

"안녕하세요. 저희도 만나뵙게 되어서 영광이에요." 모두들 말했다.

"전 주디라고 합니다. 모든 것에 최선을 다하는 성격이에요." 주디가 방긋 웃으며 말했다.

"전 엠마에요. 꼼꼼하고 깔끔한 걸 좋아해요." 엠마가 조아나에게 하고 싶은 말을 어렵게 골라내며 말했다.

"제임스라고 합니다. 전 조용하지만 꿈 만드는 것은 무엇보다 좋아해요."

"전 세바스찬이에요. 오페라 하우스에 취직한 이유로 드림 메이커라는 직업이 쉽지만은 않은 것을 알게 됐어요."

"정말 멋진 팀이구나. 내 설명을 잘 따라올 수 있겠어." 조아나가 만족해하며 말했다. 조아나의 말에 모두들 으쓱해졌다.

"일단 이곳에서 계단으로 올라가면 내 작업실이 나온단다. 작업실에서 더 자세하게 설명해주마,"

그렇게 해서 넷은 조아나를 따라 그녀의 작업실로 들어갔다. 복도에는 은은한 노란색 불빛이 켜져 있었는데, 그녀의 분위기에 잘 맞았다. 복도에는 매우 많은 그림이 전시되어 있었는데, 대부분이 그녀에게 잘 맞는 유화 그림이었다.

"여기가 바로 내 작업실이란다."

조아나가 멈춘 곳에는, 거대한 문이 기다리고 있었다. 조아나가 문을 열고 들어가자, 연분홍색의 소파와 여러 약물, 스케치들이 많이 정리돼 있었다. 그리고 꿈 모형이 전시된 곳에는 조아나가 미술작으로 우승한 작품의 모형으로 보이는 한 사막모형이 있었는데, 그 사막 모형에는 말라비틀어진 나무들, 돌이 있었다. 무엇보다 아름다운 것은 푸른 오아

시스가 야자수와 함께 사막 한복판에 있다는 것이었다. 그 외에 분홍색 안개가 뿜어져 나오는 흰 집들만 있는 마을들, 빙하모형 등 여러 가지가 있었다.

"않으렴. 난 이곳에서 내 꿈을 주로 제작한단다. 저 약물들은 내가 모형 실험을 할 때 주로 쓰는 것이란다. 저기에는 큐브를 녹인 디퓨저가 몇 개 있는데, 그 디퓨저는 모형을 더욱 실감나게 해주지. 내가 스케치를 하는 이유는 배경을 간단하게 그려보고 작품으로 옮기는 식으로 사용해. 내가 대본 창작부와 미술부를 같이 맡거든. 난 그림 그리는 것을 정말 좋아한단다. 나는 뭐든지 좋아하는 것을 해야 그것을 잘 할 수 있다고 생각한단다. 오늘 내가 너희를 위해 준비한 프로그램은 바로, '꿈 모형 만들기'란다. 너희가 각자 꿈 모형을 만들어 보면 꿈을 더 생생하게 표현하는 데 도움이 될 거야."

엠마는 지금까지도 노트에 무언가를 적고 있었다. 그래서 옆에 있던 다른 친구들도 엠마를 따라서 무언가를 끄적였다.

엠마의 노트에는 이렇게 써 있었다.

〈조아나 님의 비법〉
좋아하는 것을 해야 그것을 잘 할 수 있다.
꿈을 더 생생하게 표현하고 싶으면 꿈 모형을 만들어 보기.
꿈 모형: 꿈의 배경을 매직큐브 디퓨저, 색소, 점토 등으로 만들어진 모형.

"다들 정말 열심히 참여하는구나. 그럼 재료는 필요한 만큼 줄 테니 한번 꿈모형을 만들어 보렴."

그렇게 넷은 꿈모형을 만들기 시작했다. 모두들 몇분 동안 생각에 잠 겼다가 만들기를 시작했는데, 필요한 재료들을 조아나에게 부탁하고, 중간중간 생각에 잠기며, 자신만의 세계를 만들어 나갔다.

주디는 붉은 수련들이 있는 맑은 호수 모형을 만들었다. 호수 옆에는 나무가 있어서 물 위에 그림자가 들이워졌고, 예쁜 분홍색 수련들이 물 위로 봉긋 나오고 있었다. 호수 위에는 다리 하나가 놓여 있었는데, 다리에는 약간의 안개가 끼어있었다. 주디는 그녀의 모형에게 하얀색 '평화로움' 큐브를 녹인 디퓨저를 추가했다. 주디는 호수에 파란색 물감을 섞은 물풀을 잔뜻 부었고, 점토로 수련을 만들어서 띄웠다.

그리고 엠마는, 푸른 바다 모형을 만들었는데, 그 색이 에메랄드 빛의 마법의 강과 흡사했다. 그리고 땅 위에는 보드라운 모래들이 깔려 있었고, 옆에는 야자수 하나가 있었다. 엠마는 그녀의 모형에 투명색 '맑음' 큐브를 녹인 디퓨저를 추가했다. 엠마는 조금 다른 방법으로 물을 표현했다. 그녀는 진짜 물로 바다를 만들었다.

제임스는, 호수 하나와 낙엽들이 막 떨어질 것 같은 가을날의 숲 모형을 만들었다. 호수가 정말 맑아서, 데칼코마니처럼 호수에도 아름다운 주황색, 빨간색, 갈색 낙엽들이 그대로 비쳤다. 제임스는 하늘색 '휴식' 큐브를 녹인 디퓨저를 아주 조금 넣었는데, 그래서 그런지 보는 눈이 아주 편안해졌다. 제임스는 낙엽을 만들기 위해 빨간색, 노란색, 갈색 등의 물감을 종이에 찍어내며 낙엽을 만들었다.

그리고 세바스찬은, 정글을 만들었다. 모두와 다르게 세바스찬은 동물들을 많이 넣었는데, 그 중에는, 열대 새, 원숭이, 표범 등 다양한 종류들의 동물들이 있었다. 그들 모두 디테일이 매우 살아있었다. 세바스찬이 연두색 '신선함' 큐브를 녹인 디퓨저를 추가해서 그런지, 모든 동물들이 생기가 있어보였다. 엠마는 세바스찬의 원숭이에게,

"저거 너 아니야?"라고 진지하게 말해서 모두들 하하하 웃었다. 조아나가 말했다.

"자자, 모두들 꿈 모형을 만드니까 기분이 어떠니?" 조아나가 뿌듯한 미소를 지으며 말했다. "진짜 재밌어요!" 세바스찬이 말했다.

"꿈을 묘사할 때 어떻게 해야 할지 알 것 같아요!" 엠마가 말했다.

"정말 생생해서 제가 꿈을 꾸는 것 같았어요!" 주디가 말했다.

"맞아. 모두들 나도 꿈모형을 만드는 이유가 꿈을 더 생생하게 표현할 수 있게 되고 너희들의 말처럼 재미도 붙기 때문이야. 너희들도 꿈을 만들 때 어떻게 만들어야 할지 막막하다면, 꿈 모형을 만들며 더 쉽고 생생하게 꿈을 만들면 좋겠구나."

조아나가 말했다.

"좋은 비법 감사해요! 저희도 앞으로 꿈 모형을 만들어봐야겠어요." 엠마가 말했다.

"너희들도 꿈모형 만드는 실력이 대단하던걸." 조아나가 말했다.

"오늘 정말 감사했습니다. 저희도 조아나 님 덕분에 이렇게 좋은 기회를 얻어보네요." 제임스가 말했다.

"아니다. 나도 너희의 발전에 기여를 하게 돼서 영광이란다."

조아나와 넷은 다시 복도를 통해 에스더 팀장님이 기다리고 있는 1층으로 갔다. 그들이 도착했을 때, 에스더 팀장은 8구역의 팀장답게 누군가와 통화를 하고 있어서 그들은 에스더 팀장에게 손짓으로 인기척을 드러냈다. 에스더 팀장은 뭐라뭐라 말을 쏟아내더니 통화를 마쳤다.

"어 그래~ 왔구나." 에스더 팀장이 옅은 미소를 지으며 말했다.

"네! 완전 재미있고 유익했어요!" 세바스찬이 들뜬 상태로 말했다. 모두들 그의 말에 고개를 끄덕였다.

"고맙다, 조아나. 우린 이제 가볼게. 회의 오는 거 까먹지 말고!" 에스더 팀장이 조아나에게 봉투 하나를 건내주더니 문을 열며 나갔다. 주디, 엠마, 제임스, 세바스찬도 조아나를 향해 감사하다는 인사를 한 뒤, 문을 열고 나왔다. 신기하게만 보였던 조아나의 집이 다시보니 다르게 보였다.

에스더 팀장이 조아나의 집에서 나오자 이렇게 말했다.

"이번에는 먹는 꿈을 만드는 벤자민이라는 드림 메이커의 집으로 가볼거다. 저어기 보이는 빵으로 된 집이 그의 집이란다."

에스더가 말했다.

"우아 정말 기대돼요!" 모두들 조아나의 집에서 있었던 일 때문에 그다음 곳으로도 빨리 가보고 싶어했다. 넷과 에스더 팀장은 빵 모양을 한 벤자민의 집으로 향했다.

에스더 팀장님이 집 문에 대고 노크를 하자, 집 안에서 한 남자의 목소리가 들려왔다. 모두들 벤자민의 집의 갈색 문을 열고 들어가자, 진갈색과 흰색으로 이루어진 집이 나왔다. 그곳에는 여러 가지 요리 재료들, 그 중 밀가루가 제일 많았다. 모두들 그의 집에서 맛있는 빵 냄새가 나는 것을 알 수 있었는데, 그 까닭은 그가 음식 중에 빵을 가장 좋아해서 인 것 같다고 결론을 내렸다. 심지어 그의 집도 빵처럼 생겼으니 말이다.

"모두들 안녕~ 난 벤자민이라고 한단다. 주로 음식을 먹는 꿈을 만들지. 그 중 내가 가장 좋아하는 소재는 빵이야. 난 예전에 요리사였는데, 지금은 꿈 만드는 것이 나에게 더 적합하다고 판단해서 이렇게 먹는 꿈을 만들고 있단다." 벤자민은 갈색 머리와 콧수염을 가진 통통한 남자였다. 그의 목소리는 기름칠을 한 듯이 매끄러웠다. 그는 그의 파란색 눈동자를 찡긋 하더니 에스더에게 말했다.

"이번 신입인가요?"

"그렇단다. 좋은 교육 부탁한다." 에스더가 옅게 웃으며 말했다.

"물론이죠! 전 지금까지 이 프로그램이 저의 자신있는 것 중 하나라고 말할 수 있어요. 자, 그럼! 시작해볼까요?"

"고맙다, 벤자민. 그럼 난 저기 테이블에 앉아있으마." 에스더 팀장이 통창 옆의 한 탁자를 가리키며 말했다.

"네. 그러세요. 일단 안녕 친구들! 자기소개를 부탁해도 될까?"

"네! 저는 항상 최선을 다하는 주디에요! 저도 벤자민 님의 꿈을 한번 꿔 봤는데 정말 힐링되고 좋았어요!" 주디가 빙긋 웃으며 말했다.

"안녕하세요, 전 엠마에요. 전 꼼꼼하고 깔끔한 걸 좋아해요. 부모님이 빵집에서 일하셔서 빵에 대해서는 잘 알아요!" 엠마가 자신있게 말했다.

"전 제임스라고 해요. 만나 뵙게 돼서 영광입니다. 저는 음식에 대해서는 잘 모르지만 벤자민 님의 꿈이 아주 대단하다고는 많이 들었어요!" 제임스가 수줍게 말했다.

"고맙다. 그럼 넌..?" 벤자민이 세바스찬을 향해 머리를 갸우뚱하며 말했다.

"전 세바스찬이라고 합니다! 만나서 반갑습니다. 여기서는 또 어떤 비법을 얻게 될지 궁금하네요."

"오~ 모두들 자기 소개 잘 들었다. 이제 내 프로그램을 시작하도록 하마. 바로.. '쿠키 굽기' 프로그램!"

"우아~ 재밌겠다!" 모두들 말했다.

"난 음식 중에 가장 쉽고 맛있게 먹을 수 있는 건 쿠키라고 결론을 내렸다. 그래서 우리는 쿠키를 만들면서 요리에 대해 배우고, 먹는 꿈을 만들 때 어떤 큐브가 필요한지, 잘 알아볼거다."

그래서 넷은 벤자민과 함께 주방으로 향했다.

"자자, 일단 여기, 각자 자신의 그릇들 보이지?" 벤자민이 말했다.

"네!" "그럼 이 그릇에 버터를 넣어준다."

벤자민이 말했다. 모두들 그의 말에 따라 아일랜드 식탁에 놓여있는 버터를 각자 잘라서 넣었다.

"그리고, 흑설탕을 넣어줄거다. 그리고 흑설탕을 버터와 잘 섞어준다. 거친 느낌이 사라질 때까지 이렇게 저어준다! 이 흑설탕은 아주 품질이 좋은 것임으로 건성건성 사용하지 않기!" 벤자민이 버터와 설탕을 젓는 것을 시범으로 보이며 말했다. 그의 손은 그릇에서 소용돌이처럼 돌아갔다.

"네! 알겠습니다!" 모두들 힘차게 대답했다. 한 30초 쯤 지난 후, 벤자민이 다시 말했다.

"이제 버터와 흑설탕이 잘 섞였겠지? 그럼 여기에 밀가루를 넣어준다. 밀가루를 넣어서 부드러워질 때까지 또 섞는다."

벤자민이 주방 옆 펜트리에서 밀가루를 가져오며 말했다. 그 펜트리에는 아주 많은 양의 밀가루가 들어있었다. 그래서 그런지 벤자민은 얼굴이 밀가루 범벅이 된 채로 넷에게 다가왔다. 엠마는 밀가루 때문에 손을 휘휘 내저었고, 세바스찬은 혀를 내밀어서 공기중에 떠다니는 밀가루를 날름 먹었다. 모두들 밀가루를 적당히 붓고, 다시 섞기 시작했다. 그런데 몇 분 지나자 세바스찬의 불평이 들려왔다.

"아.. 팔 아파!"

"야, 태어나서 이런 기회가 또 어딨겠냐? 군말 말고 어서 해! 으이구.." 엠마가 말했다. 엠마는 엄마 아빠께서 빵집을 하셔서 그런지 손놀림이 매우 날렵하고 기술이 나름 있어보였다. 다른 친구들, 그러니까, 주디, 제임스, 세바스찬의 손은 모두 그릇 속에서 자꾸만 허우적댔다. 2분 정도 지나자, 벤자민이 "멈춰!"라고 말했다. 그래서 모두들 재빨리 섞는 것을 멈췄다.

"이제, 초코칩을 넣을 거다. 여기에는 밀크 초코, 다크 초코 두 종류가 있는데, 이 집게로 원하는 것을 집어서 쓰면 된다." 벤자민이 말했다. 그러면서 벤자민은 집게를 사용해 자신의 쿠키 안에 다크 초콜릿을 쏟아부었다. 벤자민이 하는 것을 보자 모두들 과감하게 초코칩을 넣기 시작했다. 주디와 제임스는 다크 초콜릿, 엠마와 세바스찬은 밀크 초콜릿을 넣기로 했다. 모두들 자신의 쿠키 반죽에 초코칩이 들어가 먹음직스러워 보이자 만족스러워했다. 그다음 벤자민이 모두에게 판을 주면서 말했다.

"이 판에 너희가 만든 쿠키반죽을 마음에 드는 크기로 나눠서 넣으면 된다. 그리고 내가 저기 있는 오븐에 넣어서 구우면! 쿠키가 완성된다." 벤자민이 뿌듯한 표정으로 모두를 바라보며 말했다.

"넵! 알겠습니다!" 모두들 그렇게 대답하고, 쿠키를 판에 나누어담기 시작했다. 주디는 아기자기한 크기로, 엠마는 모두가 생각하는 완벽한 쿠키 사이즈로, 제임스는 아이 주먹만하게, 세바스찬은 어른 주먹만하게 나누어담았다.

모두의 쿠키가 나누어 담아지자, 줄을 서서 오븐에 쿠키 반죽을 넣었다. 10분 정도 기다리자, 먹음직스러운 쿠키가 완성됐다. 쿠키에서는 버터향이 아주 강하게 났는데, 초콜릿의 달콤한 냄새도 났다.

"음~ 향기가 너무 좋아요!" 주디가 기대하며 말했다.

"그니까. 맛있으면 좋겠어." 엠마가 자신의 쿠키를 바라보며 뿌듯하게 말했다.

"모두들, 내가 여기 종이 봉지를 줄 테니까, 종이 봉지에 자기 쿠키를 넣으렴." 벤자민이 제빵 모자를 쓰고 있고, 콧수염이 나 있는 남자의 그림이 그려진 종이봉투를 건네주며 말했다.

"어! 저거 벤자민 님 아닌가요?" 세바스찬이 그 그림을 가리키며 말했다.

"맞아. 관찰력이 뛰어나는구나! 이제 각자 쿠키를 먹어도 된다. 난 이 순간을 쿠키 만드는 것중에서 가장 좋아하지!" 벤자민이 활짝 웃으며 말했다. 주디는 벤자민이 요리하는 것을 좋아하는 것 뿐만 아니라, 먹는 것도 좋아한다는 것을 알 수 있었다.

"음~ 맛있어!"

"와, 정말 겉바속촉이네~"

모두들 쿠키의 맛에 감탄하며 쿠키 하나를 먹어치웠다. 주디는 오페라 하우스에 도착해서 먹겠다며 한 개를 먹는 것으로 시식을 마무리했고, 엠마는 2개를, 제임스는 아예 먹지 않았다.

그리고 세바스찬은 쿠키를 그 자리에서 다 먹어치워버렸다. 세바스찬은 매우 아쉬워하며 입 주위를 혀로 닦아냈다. 그리고 봉지 안에 있는 부스러기까지 입에 탈탈 털어서 먹는 것을 마무리했다.

"흐익! 벌써 다 먹은 거야? 네가 제일 쿠키 많이 만들었잖아!" 모두들 놀라며 말했다.

"너무 맛있어서, 그만.. 히히" 세바스찬이 머리를 긁적이며 말했다.

"정말 못 말린다, 못 말려." 주디가 웃으며 말했다.

"자, 모두 쿠키를 만들어 보니 어떠니?" 벤자민이 모두에게 물었다.

"너무 재밌었어요!"

"요리에 자신감이 조금이라도 생겼어요!"

모두들 크게 대답했다.

"맞아! 재미있고 자신감이 생기는 건 아주 좋은 일이지. 그런데 내가 너희한테 물어보고 싶은 게 하나 있단다. 요리사가 만드는 먹는 꿈이 더 잘 만들어질까, 디자이너가 만드는 먹는 꿈이 더 잘 만들어질까?"

"당연히 요리사가 만드는 꿈이요!" 모두들 당연하다는 듯 대답했다.

"그치? 당연히 요리사가 만드는 꿈이 더 잘 만들어질거야. 왜일까? 모두들 생각하듯이, 요리사가 먹는 꿈을 만들면, 그동안 쌓아왔던 요리에 대한 실력, 지식과 감정을 더 잘 살릴 수 있기 때문이야. 먹는 곳의 인테리어, 냄새 같은 것이 거기에 포함돼. 그리고 연극에서 그가 만든 빵을 먹기 때문에, 맛도 상당히 중요하지.

하지만 디자이너는? 요리에 대한 지식이 별로 없기 때문에 먹는 꿈의 디테일을 잘 살리지 못할 거야. 빵이 맛있을 확률도 현저히 낮고 말이야.

그니까, 나는 그 일을 직접 경험해 본 사람이 그 꿈을 더 잘 만들 수 있다고 생각해. 나도 요리사 출신이었잖니? 자, 내가 할 말은 여기까지다."

벤자민이 만족스럽게 말을 마쳤다. 엠마는 벤자민이 말을 마치자 마자 그녀의 노트를 꺼내들어 무언가를 급히 썼다.

> 〈벤자민 님의 비법〉
> 그 일을 직접 경험해 본 사람이 꿈도 더 잘 만들기 마련이다. 그러므로 경험을 충분히 쌓고 '드림 메이커'라는 직업에 응할 것.

"정말 감사했습니다! 벤자민 님."

"앞으로 벤자민 님이 전해주신 비법 잘 쓸게요."

모두들 벤자민에게 예의 바르게 인사한 다음, 에스더 팀장이 있는 테이블로 갔다.

"팀장님! 저희 잘 듣고 왔어요."

"아 그래. 알겠다." 에스더 팀장님이 넷과 벤자민이 와 있는 것을 보자, 핸드폰 하는 것을 멈추고, 벤자민에게 말했다.

"고맙다, 벤자민. 매일 이렇게 견학생들까지 챙겨주고."

"아닙니다, 팀장님. 저도 간만에 아주 즐거웠어요." 벤자민이 웃으며 말했다.

"다시 한번 감사드립니다, 벤자민 님!" 모두들 벤자민에게 말했다.

"그래! 잘 가거라!" 벤자민이 집에서 나가는 에스더 팀장과 넷에게 손을 흔들며 말했다. 그래서 넷도 벤자민을 향해 손을 힘껏 흔들어줬다.

에스더 팀장이 손목시계를 힐끗하며 말했다.

"이제, 마지막으로 저기 보이는 제시카 존슨의 집으로 갈 거다. 참고로 제시카는 판타지 꿈을 만드는 드림메이커이다. 제시카도 아주 훌륭한 드림 메이커니까 열심히 배워오도록!" 에스더 팀장이 모두에게 말했다.

"제시카 님의 집은 어디인가요?" 주디가 물었다.

"바로 저기, 흰색으로 덮여 있는 집이 제시카의 집이란다." 에스더가 미소지으며 말했다. 왠지 모르게 에스더 팀장님의 미소 속에 즐거움이 묻어났다.

모두들 그 흰색 집으로 고개를 돌렸는데, 아주 조금 실망했다. 왜냐하면 그 집은 전혀 드림 메이커의 집 같지 않았기 때문이다. 심지어 크림번지에서도 쉽게 볼 수 있는 형태의 집이었다. 하지만 그 집과 크림번지의 집과의 차이점이 있다면, 그 집은 아주아주 컸다는 것이었다. 모두들 조금 실망한 기색을 보이며, 제시카의 집으로 향했다.

모두들 제시카의 집으로 도착하자, 항상 집에 들어올 때 노크를 하시던 에스더 팀장님이 인터폰에 대고 '견학생들'이라고 말했다. 그러자 그 흰색 집의 문이 열렸다.

아니! 이럴수가! 모두들 입을 다물지 못할 광경이 눈앞에 펼쳐져 있었다! 그들은 지금, 에메랄드 빛 호수를 앞두고 있었다!

"아니!"

"말도 안돼!"

"이럴 수가!"

대충 이런 말들이 넷 사이에서 오갔다. 주디가 입을 겨우겨우 뗐다.

"팀장님, 근데 저희 어떻게 가요..?"

"아, 여기 카누를 타고 가면 된단다. 좀 불편하기는 하지만 그런대로 낭만이 있단다." 에스더 팀장님이 문 바로 옆에 있는 2개의 카누를 가리키며 말했다. 그들은 논의 끝에 주디, 엠마, 에스더 팀장님끼리 한 카누에, 제임스, 세바스찬끼리 한 카누에 타기로 했다. 그래서 모두들 카누에 올라탔다. 그러면서 노를 젓기 시작했는데, 주변을 둘러보느라 노를 젓는 것에 집중을 하지 못했다. 에스더가 말했다.

"제시카가 이 집을 짓느라 100억 파우터를 넘게 썼단다. 참 기발한 친구야. 너희는 이 집의 설계 혹은 이야기 등을 제시카에게 듣게 될 거다. 그리고 이 호수를 건너서 저기 정원을 지나면 제시카의 집에 보일 거다. 집 안의 집인 셈이지."

"히익! 100억 파우터요? 말도 안돼.." 모두들 말했다. 그리고 그들은 다시 구경에 몰입했다.

그들은 무지개가 생긴 폭포도 보고, 호수를 가로 지르는 나뭇잎 집라인도 봤다. 마치 꿈을 꾸고 있는 것 같았다.

모두들 멍하니 그녀의 집을 구경하는 사이, 제시카의 정원에 도착했다. 정원에는 여러 가지 예쁜 꽃들이 피어 있었는데, 정리 정돈이 아주 잘 되어 있었다.

정원 너머에는 예쁜 연분홍색 집 한 채가 있었는데, 그곳에서 갈색 머리를 늘어뜨리고 있는 한 여자가 나왔다. 그녀는 분홍색 니트와 갈색 반바지, 그리고 검정색 부츠를 신고 있었다.

모두들 그녀가 있는 곳으로 뛰어갔는데, 그녀가 밝은 목소리로 말했다.

"안녕하세요, 모두들!"

"제시카, 만나서 반갑다, 이번에도 흔쾌히 하겠다고 해줘서 고맙다."

"뭘요! 저도 제 집을 다른 사람에게 설명해 주는 것을 아주 좋아해요."

"그럼 잘 부탁한다. 그럼 난 어디 있어야 하는 거니..?" 에스더가 망설이며 말했다.

"음.. 저기 정원 테이블에서 쉬시는 건 어떨까요?" 제시카가 고민하다 말했다. 제시카가 가리킨 곳은 바로 정원안 파라솔 아래에 위치한 테이블이었다.

"알겠다. 그럼 잘 부탁하마."

"저만 믿으세요." 제시카가 말했다.

"자! 만나서 반갑다. 일단 내 집에 온 걸 환영하고, 난 판타지 꿈을 만드는 제시카 존슨이라고 한단다. 만나서 진심으로 반가워, 모두들!" 그녀는 정말 쾌활하고 친절한 사람이었다.

"전 주디고, 항상 최선을 다해 노력하는 편이에요! 정말 놀라운 집에서 살고 계시네요!" 주디가 말했다.

"전 엠마고, 꼼꼼한 걸 좋아한답니다. 만나뵙게 돼서 영광입니다." 엠마가 빙긋 웃었다.

"제임스입니다. 말이 별로 없는 편이에요. 그래도 최선을 다해 듣겠습니다." 제임스가 말했다.

"전 세바스찬이에요. 만나서 반갑습니다. 집이 정말 멋지네요!" 세바스찬이 웃으며 말했다.

"우아, 모두들 멋진걸? 이제부터 우린 애 집을 탐험할 거란다. 그 다음 내가 이 집을 이렇게 지은 이유를 설명해주마. 내가 너희에게 전해주는 비법이기도 하지."

"네!" 모두들 힘차게 대답했다.

"아까 너희가 지나온 호수, 그곳은 바로 내 클리앙 데뷔작이기도 했던 〈고양이 섬에서의 탈출〉에서 나온 호수를 배경으로 만든 호수란다. 내가 특히 그 호수를 좋아했거든. 내 이야기 속의 그 호수는 치유의 능력이 있는데, 이 호수는 그렇지 않지만 말이야."

"호수가 정말 맑아서 진짜 치유의 능력이 있는 것처럼 보여요!" 주디가 말했다.

"그런데, 혹시 여기서 수영할 수 있나요?"

세바스찬이 물었다. 세바스찬의 생각에 모두들 고개를 끄덕였다. 그 호수는 정말 맑아서 수영하기 딱 좋아보였기 때문이다.

"여름이 되면 친구들과 종종 수영하기도 해. 이 호수를 만들 때 '안정감' 큐브를 넣어서 그런지 되게 수영할 때 마음이 편하단다." 제시카가 웃으며 말했다.

"우와~ 정말 멋져! 마치 실내 수영장 같은 거군요!" 모두들 감탄했다.

"맞아. 내가 이 호수를 좋아하는 다른 이유이기도 하지. 자자, 그다음 설명해줄 것은 바로 저 정글집라인이란다. 이 집라인은 호수를 가로 지를 수 있는데, 내가 몇 년 전에 만들었던 〈정글 속의 모험〉에서 주인공 샤샤가 탄 나무 줄기를 조금 변형해 직접 탈 수 있게 만들었단다. 집라인 중간에서 호수로 떨어지면 아주 짜릿하지만 젖을 옷은 감수해야 하지. 자, 모두들 타 볼까?"

제시카가 말했다. 그래서 그들은 집라인을 타기 위해 호수 옆에 있는 계단을 타고 올라갔다. 계단을 다 올라오자, 줄이 하나뿐인 그네 같이 생긴 것이 모두를 기다리고 있었다. 제시카가 모두에게 시범을 보이며 말했다.

"집라인이 별로 높지 않아서 안전장비는 필요 없단다. 여기 이렇게 올라가서 준비가 되면 앞으로 세게 가면 된단다."

제시카가 집라인에 올라타서 말했다. 그리고 발을 힘껏 밀어 집라인 레일 끝까지 도착했다. 이어 주디, 엠마, 제임스, 세바스찬도 집라인을 타고 내려왔는데, 모두들 아찔하고 짜릿한 마음에 흥분을 가라앉힐 수 없었다. 주디는 "아아아악!", 자꾸 소리를 질렀고, 엠마는 "와와!", 탄성을 내질렀다. 제임스는 무뚝뚝하게 집라인을 탔지만 마음 속으로는 흥분함으로 가득 차 있었다. 세바스찬은 집라인을 타면서 힘차게 손을 흔들기도 했다. 집라인 레일 끝은 폭포 바로 옆에 있었는데, 제시카가 가는 곳을 따라 폭포 안쪽으로 들어갔다. 폭포에서 튀기는 물은 그들을 더욱더 시원하고 짜릿하게 해주었다.

"자, 모두들 기분이 어떠니?"

"정말 짜릿했어요!" 모두들 말했다.

"나도 답답할 때 이 집라인을 타서 샤샤가 되는 상상을 한단다. 나는 상상하는 것을 매우 좋아해. 내가 판타지 작가가 된 이유이기도 하지.

난 특히 모험하는 꿈을 많이 만들어서 내 꿈에 나온 것들을 내 집에 만들어내고 싶었어. 사람들이 자신이 처한 환경에서 꿈을 떠올려내듯이, 나는 그 환경을 만들고 싶었거든,

그래서 이 집은 내가 전에 만들었던 꿈들, 또는 새로운 꿈을 떠올리

게 해서 내가 일에 더 집중할 수 있고, 내 상상력을 끊임없이 솟아나게 만들지. 그래서 난 일에 더 집중하고 노력하게 돼.

너희도 꼭 나처럼 집이나 환경에 영향을 받지 않더라도 그 일을 항상 떠올리고, 집중하면 좋은 성과를 낼 수 있단다. 그럼, 내가 하고 싶은 말은 여기까지야. 지금까지 내 말을 잘 들어줘서 고맙다. 이제 에스더 팀장님을 찾으러 가자꾸나." 제시카가 빙긋 웃으며 말했다.

엠마는 다시 노트를 꺼내서 무언가를 급히 쓰기 시작했다.

> **〈제시카님의 비법〉**
> 자신이 처한 환경에서 꿈을 떠올려내고, 그것으로 끊임없이 집중하고 노력해라.

엠마는 노트에 비법을 쓰느라 조금 뒤처지자,
"같이 가!"라고 말하며 모두에게 달려갔다.

그들은 에스더 팀장님이 있는 곳에 도착했다. 에스더 팀장님은 풍경을 감상하고 있었는데, 그런 에스더를 제시카가 불렀다.
"팀장님! 다 마쳤습니다."
"아 그래, 고맙다, 제시카. 네 집은 보면 볼수록 놀랍더구나." 에스더 팀장이 말했다.
"아 감사합니다. 또 다시 한번 공사를 할 까 고민중입니다." 제시카가 말했다.
그러자 에스더 팀장은,

"넌 도대체 돈이 얼마나 있는 거냐?"라고 말했다. 그러자, 제시카는 멋쩍게 웃어보였다.

"그럼, 제시카. 이제 우리는 가보마. 오늘은 정말 고마웠어." 에스더가 넷에게 따라오라고 손짓하며 말했다.

"감사했습니다! 제시카 님!" 모두들 소리치고 다시 호수로 향했다. 저 멀리서 제시카의 목소리가 들려왔다.

"훌륭한 드림 메이커가 되길 바란다!"

그들은 카누를 타고 호수를 가로질러 제시카의 집에서 나왔다. 그리고 그들은 클리앙 마을에서 나왔다. 그리고 기다리고 있는 택시에 올라 탔다. 모두들 아름다운 마을을 떠나자니 아쉽기만 했다. 그때, 엠마가 말했다.

"결론적으로 말하자면, 조아나 님께서 전수해주신 비법은 '좋아하는 것을 하라'였고, 벤자민 님은 '경험을 하라'였고, 제시카 님은 '집중과 노력을 하라'였어. 좋아하는 것을 하는데 경험을 많이 하고 집중과 노력을 하면 우리 모두 최고의 드림 메이커가 될 수 있겠다. 그치?" 엠마가 빙긋 웃으며 말했다.

"응! 우리 모두 최고의 드림 메이커가 되자!" 주디가 말했다.

"응!" 모두들 힘차게 말했다.

에스더 팀장님은 아무도 모르게, 그런 그들을 흐뭇하게 바라보았다.

제2부

특별한 우정

01. 민원상담

이제 주디가 클라우드 오페라 하우스에 온지도 2달이 지났다. 이제 오페라 하우스가 익숙하고 친근했다. 직원카드를 확인기계에 대는 것 까지도.

요즘 엠마와 세바스찬은 '위지핏'이라는 카드 게임을 했다. 대충 설명하자면, 꿈나라에서 유명한 인물들이 그려져 있는 카드를 가지고 하는 게임이었다. 인물들 중에는, 첫째, 둘째, 셋째, 하늘의 신, 아르만도 같은 사람들이 있었다. 점수는 그 사람의 업적에 따라 정해졌는데, 셋째는 꿈나라를 세웠기에 가장 높은 점수인 5점, 첫째는 3점, 둘째는 2점, 아르만도는 4점 정도였다. 그리고 돌아가면서 같은 점수나 사람의 카드를 내며, 자기 자신의 카드를 다 없애는 것이 목표였다. 맨 처음 카드를 랜덤으로 7장을 뽑고 하는 게임이어서 운이 많이 필요했지만, 거기에 실력 또한 필요했다. 어쩌면 당연한 걸지 몰라도, 위지핏은 오래 해본 사람이 압도적으로 잘했다. 그러므로, 엠마는 어렸을 적부터 위지핏을 해온 세바스찬을 이길 수가 없었다.

위지핏은 엠마가 세바스찬에게 지는 유일한 것이었으므로, 엠마의 승부욕과 화를 돋우는 방법으로 충분했다. 세바스찬은 엠마를 놀리려고 계속 게임을 하자고 했고, 엠마는 거절하기엔 세바스찬이 자기를 겁쟁이로 볼까봐 감히 거절도 하지 못했다. 제임스는 이 광경을 안절부절못하고 보고만 있었다. 당연하게도, 둘은 오늘 아침에도 게임을 했다.

"잠깐, 잠깐!! 아… 안돼.. 언제 카드가 다 없어진 거야, 세바스찬!"

엠마가 힘없이 말했다.

"뭐, 다시해? 난 얼마든지 다시 해줄수 있어. 어차피 다 이길 거니까. 하하하!"

세바스찬이 엠마를 약 올렸다.

"뭐? 너 진짜…"

엠마는 화를 참으며 말했다. 그리고 그녀가 매일 싸오는 음료인 초록색 통에 담긴 '상쾌함 99% 함유 상쾌한 음료'를 벌컥벌컥 들이켰다. 주디는 그런 엠마가 불쌍했다.

"응. 다시해! 내가 꼭 이기고 말겠어."

엠마가 입가를 닦으며 말했다.

그렇게 엠마와 세바스찬은 게임을 계속했다. 엠마가

"하! 세바스찬, 이번 판은 내가 이겼네! 카드 다 없앴지롱!" 엠마는 게임을 끝내며 자신만만한 표정으로 세바스찬을 향해 말했다.

주디는 이 긴장감이 철철 흐르는 분위기 속에 있기가 부담스러워서 기지를 나왔다. 그런데 에스더 팀장님이 당황스러워하는 표정으로 주디에게 다가왔다.

"주디, 내가 급한 일이 있어서 말이야.. 민원 상담좀.."

"팀장니임!"

어디서 다급한 목소리가 들려왔다. 30대쯤 돼 보이는 여자였다. 아무래도 문제가 생긴 것 같았다. 빨리 에스더의 도움이 필요해 보였다.

"어! 가요! 주디, 민원상담 좀 해줄 수 있을까? 부담스러우면 엠마랑 같이 가도 돼."

"아! 네. 엠마 불러올께요."

"그래. 상담실은 2층 엘리베이터 바로 옆에 있어. 그럼 난 이만!"

에스더 팀장은 그 여자를 따라 어디론가 사라졌다.

"네.." 주디가 에스더 팀장이 간 뒤 중얼거렸다. 그리고 기지로 돌아가 세바스찬에게 다시 진 엠마에게 조심스럽게 다가갔다. 물론 그녀는 화가 잔뜩 나 있었다.

"엠마! 나랑 같이 민원상담하러 갈래?"

"응, 알겠어!"

엠마는 게임을 그만둘 핑계가 생겨서 오히려 기분이 좋아 보였다. 엠마는 세바스찬에게 '나 간다!'라는 눈길을 주고 주디에게 왔다. 그리고 둘은 좀 걸어서 엘리베이터에 올라탔다.

"근데 상담은 처음이다. 그치?" 주디가 말했다.

"응. 잘 하면 좋겠는데.." 엠마가 작은 소리로 말했다.

둘은 조잘조잘 이야기하다 2층에 도착했다.

그리고 〈민원상담실〉이라고 적힌 종이가 붙어있는 문을 열고 들어갔다. 그러자, 두꺼운 안경을 쓴 곱슬머리의 여성이 테이블에 앉아 있었다. 왠지 모르겠지만 그 사람은 에스더를 연상시켰다. 그녀의 눈은 갈색이었고, 다크서클이 축 쳐져 있어서 주디와 엠마는 그녀가 꿈 때문에 잠을 잘 못자고 있으리라 짐작했다. 그리고 옆에 있는 사람은 바로.. 아르만도 관장님이었다! 그는 갈색 머리에 금테 안경을 쓴 갈색 눈을 가지고 있었다. 그의 안경 너머로 그의 갈색 눈이 반짝였다. 둘은 입구쪽에 있는 그의 초상화를 매일 보기 때문에 아주 잘 알고 있었다.

"허억! 안녕하세요, 관장님. 그리고 그쪽 분도.."

주디와 엠마가 놀라서 말했다.

"그래. 너희가 주디와 엠마구나. 만나서 반갑다. 에스더한테 얘기 잘 들었다. 방금 연락이 왔어."

"아 네…"

"그럼 상담을 시작하자꾸나. 참고로 이 상담은 문브릿지를 건넜지만, 오페라를 보지 않고 민원상담을 하고 싶은 사람들을 위해 만들어졌어. 그리고 이건 깨어나면 기억되지 않지. 엠마와 주디는 기록을 해주렴."

엠마와 주디는 고개를 끄덕였다.

"그럼 어떤 일로 오셨나요, 헬레나?"

아르만도가 물었다.

"제가 오페라를 보고 있는데.. 갑자기 옆에서 강아지가 자꾸 버둥거리고 짖어서 오페라에 집중할 수가 없었어요. 근데 이게 한두번인가요. 그래서 왔습니다. 이게 사소한 문제라고 생각하실 수 있겠지만, 저에겐 아주 큰 고통이에요. 잠을 잘 잘수도 없고 말이죠. 현실세계에서는 잠을 제대로 자지 못해 아주 힘든 일상생활을 하고 있답니다. 직장 일에도 잘 임하지 못하고 있어요."

"네. 이해합니다, 헬레나. 그럼 더 나은 방안으로 더 좋은 오페라 하우스를 만들어 나가겠습니다." 아르만도가 생각에 잠긴채 말했다.

"음... 반려동물 전용석을 마련해 보도록 하는건 어떨까요? 그럼 그런 일은 없을 겁니다."

아르만도가 곁눈질하자, 멍때리고 있던 엠마와 주디가 얼른 필기를 했다.

"그런데 반려동물 전용석을 마련해도 반려동물이 떠들지 않는다는 사실이 명확한가요?" 여자가 영 못 미덥다는 표정으로 말했다.

"전 지금 이 상황이 아주 불쾌합니다. 최대한 명확하고, 빨리 조치를 해 주셨으면 좋겠는데요." 헬레나가 상당히 불쾌한 말투로 말했다.

"아마도 그럴겁니다. 왜냐하면 반려동물 전용석을 만들면 사람과 동물이 분리되기 때문에 동물들의 소리를 잘 듣지 못할 겁니다. 이렇게 말이에요." 아르만도가 작은 종이에 그림을 그려 보이며 말했다. 종이 위에는 네모난 극작과 맨 앞쪽 칸에는 '반려동물 전용석', 뒤에는 '사람 전용석'이라고 적혀 있었다. 그걸 본 헬레나는 한시름 던다는 표정을 지었다.

반려동물 전용석

사람 전용석

"그럼 바로 관리팀에 연락 드리겠습니다. 이렇게 오페라 하우스의 문제점에 대해 말해주셔서 다시한번 감사드립니다."

"아니에요. 이 문제로 인해서 나도 불편했지만 다른 사람도 불편했다고 믿어요. 그리고 감사드려요. 그럼 전 이만." 여자는 그렇게 말하고 민원상담실을 나갔다.

"주디, 엠마, 에스더 팀장을 대신해서 이렇게 와 주어 고맙다. 원래 한달에 한번 돌아가면서 팀장님들한테 나와 민원 상담을 하는 일을 시킨단다. 그런데 팀장들은 그 일을 무척 싫어하지. 난 그 이유가 방금 간 손님처럼 우리에게 불쾌한 말을 해도 친절하게 대해줘야 하니까 그런다고 생각한다. 하지만 그 손님은 우리 클라우드 오페라 하우스의 시설물들을 더 좋게 만들어주는 귀한 분이시다. 문제가 있는데 사람들이 아무도 불평을 안 한다면 그 문제는 계속 지속되겠지. 그것이 우리가 그 사람들한테 화를 내면 안되는 이유란다."

"맞아요. 정말 그래요.." 주디와 엠마가 불쾌한 손님으로 인해 기분이 시무룩 해진 상태로 말했다. 주디는 '에스더 팀장님이 싫어하는 일도 있구나..'라고 생각했다.

그들의 기분을 알아챈 아르만도가 빙긋 웃으며 말했다.

"자, 요약을 어떻게 했는지 한번 볼까? 아참, 그 전에 이 젤리빈 좀 먹고 하렴." 아르만도는 민원상담 테이블 구석에 놓여져 있던 젤리빈이 담긴 뽑기통에서 손잡이를 두 바퀴 돌려 주디와 엠마에게 젤리빈 몇 개를 건네주었다. 그중에는 빨강, 주황, 노랑, 초록, 파랑, 보라, 하얀색의 젤리빈이 있었는데, 모두 맛있었다.

아르만도가 젤리빈을 먹고 있는 주디와 엠마에게 말했다.

"자~ 그럼 어떻게 요약했는지 한번 볼까?"

"네!"

헬레나 : 반려동물 소음으로 인한 스트레스.
이 때문에 잠을 잘 못자 일상생활이 힘들어짐.
해결방안 : 관리팀으로 연락해 반려동물 전용석 만들기.
반려동물 전용석의 위치는 사람들 자리 바로 앞자리임.

"와~ 아주 요약을 잘 했구나. 과연 에스더가 말한 에이스가 맞구나. 에스더가 웬만하면 칭찬은 안 하는데!" 아르만도 관장님이 말했다.

"정말요?" 주디와 엠마가 놀라서 말했다.

"그럼! 내가 알기론 에스더가 칭찬하는 일은 정말 드물어! 칭찬을 받으면 그 사람은 드림 메이커로 크게 성공하게 되지. 민원 상담을 보내준 것을 보니까 너희를 매우 신뢰하는 것 같은데?" 아르만도가 빙긋 웃으며 말했다.

그러자 주디와 엠마가 서로를 마주보며 놀란 표정을 지었다.

"자자, 우리 이제 관리팀한테 전화를 해보자고!" 아르만도가 옆에 있는 전화기를 들며 말했다. 아르만도는 서랍에서 한 작은 노트를 꺼내더니 그곳을 뒤적거렸다. 그의 손에는 낡은 갈색 노트 하나가 들려 있었다. 그의 안경 너머로 보이는 눈동자가 획획 움직이더니, 아르만도는 순간 손동작을 멈추었다.

"여깄다! 아참, 이 노트는 내가 각 팀의 전화번호를 적어두는 것이란다. 우리는 관리팀에 전화할 거니까, 401번호로 전화하면 되겠구나!" 아르만도가 맑게 말했다. 아르만도가 전화기에 번호 401을 눌르려던 참에, 누군가가 민원상담실로 급하게 들어왔다. 어떤 성인 남자였는데, 갈색 머리에, 검정색 양복을 빼 입고 있었다.

"관장님! 관장님! 오늘 회의 있으십니다. 지금이..." 남자가 손목시계를 쳐다보며 말했다.

"...3시 57분인데, 4시에 회의가 잡혀있어요. 원래는 내일 1층 회의실에서 구역별 팀장님들, 클리앙 드림메이커들과 함께 회의할 예정이었는데, 갑자기 변경되었습니다. 빨리 가셔야 해요!" 남자가 다시한번 말했다.

"어이쿠, 민원상담 절차가 아직 남았는데.. 주디, 엠마 정말 미안하다. 내가 오늘 약속이 있어서 대신 관리팀에 전화해주길 바란다. 기한은 다음주까지고, 내가 검사하겠다고도 말해라." 아르만도 관장님은 이 말만 남기고 남자와 함께 민원상담실을 뛰쳐나갔다. 주디와 엠마는 아르만도와 남자가 떠난 자리를 멍하니 쳐다보며 말했다.

"헐..."

그렇게 주디와 엠마는 관리팀에 전화하게 되었다. 엠마가 24그룹의 전화하는 역할을 맡고 있었기 때문에 그 일은 자연스럽게 엠마 차지가 되었다.

"어.. 보자... 번호가.. 401! 401 맞았지?" 엠마가 주디에게 물었다.

"아마도..." 주디가 애매한 표정을 지으며 말했다.

"그럼 전화 한다!" 엠마가 말했다.

"응!" 주디가 발을 동동 구르며 말했다.

엠마가 초록색 모양의 전화기 버튼을 누르자, 삐~삐~하는 연결음이 들려오더니 한 남자가 전화를 받았다.

"네 관리팀 팀장 조엘 도슨입니다~ 아르만도 관장님 이번엔 무슨 일이시죠?" 조엘 도슨이 아주 조금, 시큰둥한 상태로 말했다.

"안녕하세요~ 지금 아르만도 팀장님이 자리를 비워서요. 저희한테 관리팀에 연락 해달라고 부탁하셨어요."

"그럼.. 팀장님인가요?" 조엘 도슨이 생각에 잠겼다가 말했다.

"아니요.. 신입입니다." 엠마가 말했다. 자신감이 넘치던 엠마도 이 말을 하며 점점 목소리가 작아지는 것은 어쩔 수 없었다. 엠마도 온지 별로 안 된 신입이었기 때문이다.

"그럼 용건이 뭐죠? 오늘도 민원상담자가 왔나보군요." 조엘 도슨은 신입이라는 말을 듣고 매~우 시큰둥한 말투로 말하기 시작했다.

"아, 네.. 오늘 민원상담자께서는 반려동물 소음으로 인한 스트레스 때문에 고통을 받고 있었습니다. 그래서 아르만도 관장님께서 반려동물 전용석을 만드는 것은 어떻겠냐고 해결 방안을 제시하셨는데.. 손님이 아주 불만에 가득 차 있었습니다. 그래서 관리팀에서 오렌지홀에 반려동물 전용석을 만드셔야 할 것 같습니다. 위치는 사람들의 좌석 바로 앞입니다. 그리고 좀 거리를 띄워주셔야 할 것 같습니다. 일을 번거롭게 해서 죄송합니다." 엠마가 신중하게 말하려 노력하면서 말했다.

"네네~ 그러죠. 저번에는 반려동물에게 '조용함' 큐브를 녹인 디퓨저를 뿌리라더니. 이번에는 전용석이라.. 아예 분리를 원하시는군요." 조엘 도슨은 정말 불쾌한 사람이었다. 주디와 엠마는 어찌할바를 모르며 말했다.

"손님께서 빠른 조치를 원하십니다. 전 오늘 아르만도 관장님을 대신해서 왔으니 절 함부로 대하지 마세요. 기한은 다음주까지이고, 아르만도 관장님께 통화 내용을 자세히 보고하겠습니다." 엠마가 마지막 필살기를 사용하며 말했다.

"..."

"끊을게요."

그렇게 엠마는 통화를 마무리했다. 그리고 이렇게 말했다.

"정말 갑질이 심하네. 우리가 신입이라고 만만하게 보는거, 정말 뻔뻔했어. 그런 사람이 관리팀 팀장이라니.."

"그러니까. 팀장님들이 왜 이 일을 싫어하시는 알 것 같아.. 우리 아르만도 관장님께 포스트 잇 하나 남기자."

"그래."

그들은 한참 포스트 잇을 찾아 뒤적거리다가, 테이블 위에 있는 노란색 포스트 잇 위에 이렇게 썼다.

아르만도 관장님, 관리팀과 연락 잘 했습니다.
좋은 기회 주셔서 감사해요.
-주디, 엠마-

"이정도면 성공?" 엠마가 물었다.

"성공!" 주디가 대답했다.

02. 비밀통로를 발견하다

　그렇게 상담을 마치고 엠마와 주디는 다시 24번 기지로 돌아가려 했다. 엠마는 지긋지긋한 세바스찬을 더 이상 보고 싶지 않은지 아주아주 느리게 걸었다.

　"주디, 아무래도 그 관리팀 팀장, 아르만도 관장님한테 말해야 되는 거 아닐까? 응대를 그렇게 하는데!" 엠마가 화난 상태로 말했다.

　"그러니까 말이야. 아무래도 말하는 게 좋을 것 같은데.. 뭐라고 말하지? '아르만도 관장님. 관리팀 팀장님이 너무 불친절했어요. 바꿔주세요.'라고 말할 수는 없잖아."

　"그럼 이건 어떨까? '관장님, 관리팀 팀장님이 저희를 대하는 태도가 팀장의로써의 태도가 맞는지 의심스러웠습니다.' 어때?"

　"너무 돌려서 말하는 것 같기도 하지만, 그래도 그게 제일 낫다! 아무래도 관장님께 보는 메시지니까 신중하게 결정해야 돼."

　"맞아. 좀 더 생각해 보자."

　둘은 대화를 한 것 때문인지, 아니면 엠마의 느린 걸음 때문인지, 길을 잃었다. 그들은 막다른 길에 들어섰다.

"어? 이상하다. 분명 여기였던 것 같은데… 그치, 엠마?"

"어.. 그러게… 근데 여기 문이 있는데?"

"어? 뭐라고? 문?"

그곳엔 진짜 문이 있었다. 고풍스러운 나무 문 하나가. 문에 새겨진 꽃이 문 가장자리를 타고 올라가 마치 덤불이 아름답게 올라가는 듯했고, 가운데에는 꽉 찬 보름달이 그려져 있었다. 이 모든 것에는 아름다운 유화 물감으로 칠이 되어 있었는데, 꽃은 진한 분홍색, 나뭇잎은 짙은 녹색, 보름달은 신비로운 회색이었다. 그리고 금으로 된 문 손잡이에는 특이하게도 아름답고 큼지막한 문스톤 한 알이 박혀있었다. 이 모든 것이 '꿈나라'을 연상시켰다.

"우와.. 멋지다…" 둘은 문을 바라보며 말했다.

"근데 이 문이 왜 여기 있지?" 주디가 궁금한 듯 말했다.

"그러게.. 안에 뭐가 있을지 궁금하다."

엠마가 말했다. 어렸을 때의 탐험가 기질이 시동을 건 것이다.

"뭐? 안에 들어가보자는 뜻이야?" 주디가 기겁하며 말했다.

"아니.. 꼭 그런 것만은 아니고. 그냥 보기만해도 충분히 재밌어." 엠마는 솔직히 들어가고 싶어서 참을 수 없는 듯한 말투로 말했다.

"그럼. 열어보기만 할까? 궁금하잖아." 주디는 엠마의 생각을 알아채고 말했다.

"그래?" 엠마의 얼굴이 밝아졌다.

"그럼 열어보자!"

둘은 그 육중한 문을 힘껏 열어 젖혔다. 그런데 맙소사. 대리석 계단

이 밑으로 쭈욱 뻗고 있었다. 정적이 흘렀다. 정적을 제일 먼저 깬 사람
은 엠마였다.

"이게 뭐야?"

"글쎄.. 비밀통로 같은데. 위험한 것 같지는 않아. 어차피 비밀통로라
면 오페라 하우스에 연결되겠지. 그렇다고 완벽하게 안전하다고 할 수
는 없고." 논리적인 주디가 구구절절 설명을 늘어놓았다.

"가볼까?" 엠마가 말했다.

"뭐어! 진짜!" 주디가 소리쳤다.

"왜. 위험할 것 같지는 않다며. 꽤 쓸모 있을 수도 있잖아. 우리 기지
바로 앞으로 연결 될 수도 있어!"

"그런가…" 주디가 망설였다. "그럼.. 들어가 볼까?"

"좋아!" 엠마가 기대되는 듯 소리쳤다.

그렇게 그들은 대리석 계단을 조심조심 내려갔다. 계단은 막상 들어
오니 무서웠다. 다행히 벽에는 익숙한 현대식 조명이 켜져 있었다. 오
페라 하우스에서 자주 볼 수 있는 조명이었다.

"진짜 안전한 거 맞아?" 주디 의심스러워하며 말했다.

"네가 위험할 것 같진 않다고 그랬잖아. 안전하겠지, 뭐.."

엠마가 아무렇지 않은 듯한 표정으로 대답했다. 주디는 그런 엠마가
그저 신기하기만 했다.

그들은 고요한 계단 속을 걸어갔다.

"엠마, 우리 돌아갈 수 있는 거 맞지?" 주디가 무서워하며 말했다.

"그럼! 나 어렸을 때 별명이 '인간 내비게이션'이었는 걸? 지금까지
온 길 다 기억하고 있으니까 걱정마." 엠마가 씨익 웃었다. 그런 엠마

의 말에 주디는 안도의 한숨을 내쉬었다.

"아.. 다행이다." 주디의 말이 끝나기가 무섭게 저만치 앞서가고 있던 엠마가 소리쳤다.

"와악!!"

"왜! 왜!!" 주디가 무서워서 소리쳤다. 엠마가 말했다.

"여기, 여기..."

"왜!! 빨리 말해!" 주디가 얼굴이 창백해진 채 말했다.

"여기, 멋진 대리석 테이블이 있어! 완전 이쁘다!" 엠마가 소리쳤다.

"야아.. 깜짝 놀랐잖아.." 주디가 말했다.

"그깟 테이블이 뭐라고..." 주디가 엠마가 가리킨 곳을 보자, 탄성을 내질렀다.

"와..."

주디는 엠마가 소리친 까닭을 금방 알 수 있었다. 엠마의 손 끝이 닿는 쪽엔, 거대한 대리석 테이블이 있었다. 천장에는 다이아몬드를 닮은 커다란 은은한 노란색 조명 달려 있었고, 벽에는 조명 몇 개가 붙어 있었다. 테이블 위에는 불이 켜져 있지 않은 초가 몇 개 놓여 있었고, 여러 가지 종류의 꽃들로 꾸며져 있어서 하나도 무섭지 않았다.

"와~ 멋지다."

"이게 왜 여기있지?"

"그러게.."

주디와 엠마 사이에서 여러 말이 오갔지만, 결국은 그 테이블에 왜 있는지는 알아내지 못했다.

"잠깐만 주디, 여기 말이야. 자세히 보면 3개의 통로로 나누어져 있어. 우리가 왔던 통로는 저기고. 그럼 나머지 2개의 통로에는 뭐가 있는걸까?" 관찰력이 뛰어난 엠마가 궁금해 하며 말했다.

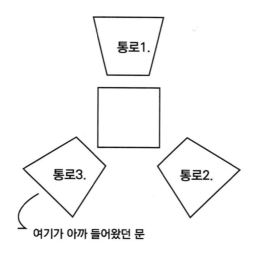

여기가 아까 들어왔던 문

"글쎄.. 아무튼 빨리 나가자. 나 너무 무서워. 다시 아까 그 문으로 돌아가자. 다른 곳에 뭐가 있을지 어떻게 알아."

"그럼 다 가보면 되지." 엠마는 그렇게 말하며 나머지 2개의 통로로 향했다.

"아 진짜! 가자니까!" 주디는 그렇게 말하면서도 엠마를 따라 뛰어갔다. 그들이 간 첫 번째 통로에는 파란색과 초록색 계열로 칠해져 있는 아름다운 문이 하나 있었다. 그곳 한 가운데에는 주황색 빛을 뿜어내는 태양이 그려져 있었고, 금색으로 칠해진 문 손잡이에는 초록색과 파란색의 오팔이 박혀있었다. 그리고 문에는 아름다운 나무들이 양 옆에 그려져 있었다.

"잠깐만 잠깐만. 이게 뭘까.."

끝내 답을 찾아내지 못한 그들은 다시 대리석 테이블에 있는 곳으로 되돌아와서 두 번째 통로로 들어갔다. 두 번째 통로의 끝자락에 도착하자, 첫 번째 통로에 있었던 '문'이 나왔다. 하지만 이 문에는 온통 검은 칠이 되어 있었고, 보라색 강이 하나 있었다. 그리고 첫 번째 문에 있었던 태양이 있는 자리엔, 무서운 해골이 그려져 있었다. 그리고 금박이 덮여져 있는 문 손잡이엔, 검정색 흑진주가 박혀 있었다. 그리고 문 양 옆에는 앙상한 검정색 가지가 그려져 있었다. 무서움을 특히 잘 타는 주디는, 엠마에게

"우리 빨리 가자.."라는 말을 하고서 엠마의 손을 잡아끌었다. 그리고 다시 대리석 테이블이 있는 곳으로 왔다.

엠마가 골똘히 생각하다 입을 열었다.

"지금까지 우리는 첫 번째, 두 번째 통로를 갔다 왔잖아? 그런데 첫 번째 통로에는 오팔이, 두 번째 통로에는 흑진주가 박혀 있었어. 그리고 우리가 처음에 온 세 번째 통로에는 문스톤이 박혀 있었지. 그리고 그에 해당하는 그림도 그려져 있었어, 뭐 생각나는 거 없어?"

"맞아! 나도 그 생각을 했어. 그니까 첫 번째 통로는 지상, 두 번째 통로는 저승으로 이어지겠지! 그리고 세 번째 통로는 이곳 꿈나라의 대표적인 마스코트인 오페라 하우스로 말이야." 주디가 흥분하며 말했다.

"그런데 말이야.. 이 비밀 통로는 왜 있는 걸까?"

"글세... 우리 그럼 도서관에서 한번 찾아볼까?"

"그래, 좋아!" 둘은 다시 세 번째 통로를 이용해 이 비밀스러운 통로에서부터 나가기로 했다. 그들은 세 번째 통로를 통해, 밖으로 나왔다.

조엘 도슨에 대한 생각은 둘의 머릿속에서 지워지고, 비밀 통로의 비밀에 대한 생각들로 점점 채워졌다.

그들은 당장 도서관으로 향했다. 도서관은 5층에 있었다. 그들이 도서관을 찾은 이유는 도서관에는 클라우드 오페라 하우스의 역사에 대한 책들이 많았기 때문이었다.

도서관에 있는 도서관 관리사 그레이스가 도서관에 처음 오는 주디와 전에 자주 온 적 있는 엠마에게 부드럽게 인사했다.

"어서오세요."

"안녕하세요, 그레이스!" 엠마가 밝게 말했다.

"혹시 찾는 책이 있을까요, 엠마?" 그레이스가 물었다.

"음.. 클라우드 오페라 하우스 설계나 그런 거에 관한 책, 혹시 있을까요? 역사 같은 것도 있으면 좋구요." 엠마가 말했다.

"음.. 〈역사〉 코너에 있을 것 같아요. 저를 따라와 보실래요?" 그레이스가 엠마와 주디를 향해 손짓했다. 둘은 그레이스가 이끄는 곳으로 향했는데, 그레이스가 발걸음을 멈춘 책장 옆에는, 금속에 'HISTORY'라는 글자가 파여있는 것이 붙어 있었다. 바로 역사 코너였다. 그레이스는 역사 코너에 도착해서 이렇게 말했다.

"이곳이 바로 역사 코너랍니다. 여기에 엠마가 말한 책이 많이 있을 거에요. 음.. 이쪽 오른쪽에 클라우드 오페라 하우스의 역사가 많이 있을 거에요."

"감사합니다, 그레이스." 엠마와 주디가 활짝 웃으며 말했다.

"별말씀을요. 필요한 것 더 있으면 불러요!" 그레이스가 그 말을 하고 다시 프론트로 돌아갔다.

"자, 주디. 이제 열심히 찾아보자." 엠마가 그레이스가 가리킨 곳을 뒤적이며 말했다.

"그래." 주디가 말했다.

몇 시간 뒤...

"아.. 〈클라우드 오페라 하우스의 역사〉, 〈클라우드 오페라 하우스의 비밀〉, 〈클라우드 오페라 하우스의 모든 것〉... 이런 책에는 나오지도 않아. 어떡하지?" 엠마가 말했다.

"조금 더 찾아보자. 그런 책들은 구석에 있지 않을까?" 주디도 책상에 앉아서 책들을 빠르게 읽어나가며 말했다. 엠마와 주디 앞에는 책들이 산더미처럼 쌓여 있었는데, 그 책들에는 모두 비밀 통로에 관한 정보가 들어있지 않았다.

"쉽지 않을 줄 알았어. 어떻게 그런 비밀통로를 책에 공개적으로 드러내겠어?" 엠마가 한숨을 내쉬며 말했다.

"잠깐, 〈이승, 저승, 꿈나라의 모임〉? 이건 뭘까?" 주디가 책장 구석에 있는 조그만한 책을 꺼내며 말했다.

"한번 읽어봐!" 엠마가 책더미 넘어로 말했다. 그녀는 지금 아주 두꺼운 책을 읽고 있었는데, 그녀 또한 엄청난 속도로 책을 읽고 있었다.

"세 나라의 모임은 꿈나라의 비밀통로에서 진행된다고 전해진다.. 그곳은 이승, 저승, 꿈나라를 연결하는 세 문이 있는데, 새해 첫날 자정에 첫째, 둘째, 셋째의 후손들이 세 나라의 문제점에 대해 토론한다. 하지만 비밀 통로가 어디 있는지는 정확히 밝혀지지 않았다.... 엠마! 여기 봐!! 내가 찾았어!"

"어디? 어디??" 엠마가 책 너머로 빠져나오려고 애쓰며 물었다.

"우리가 갔던 곳이 첫째, 둘째, 셋째의 후손들이 회의를 하는 곳이 래!" 주디가 말했다.

"정말? 나도 한번 봐보자." 엠마가 책 너머로 빠져나오는 데 성공해, 주디에게로 다가왔다.

"세 나라의 모임은 꿈나라의 비밀통로에서 진행... 대박! 그럼 우리가 하늘의 신의 후손들이 있었던 곳에 갔다 온거야?"

"아마도 그럴거야!" 주디가 말했다.

"이거 보통 일이 아닌데? 대박이다!" 엠마가 기뻐하며 말했다. 그런 데 갑자기 누군가가 그들의 앞에 나타났다.

"엠마, 도서관에서는 좀 조용히 해줬으면 좋겠어요. 옆에 그 친구도 요. 그런데 무슨 얘길 그렇게 재밌게 하나요?"

그레이스였다. 주디와 엠마 모두 당황해서 아무 말도 못 하고 있는데 엠마가 먼저 입을 열었다.

"아~ 저희가 역사 쪽에 관심이 많거든요. 되게 신기한게 많아서 너무 많이 떠들었네요. 하하" 엠마가 어색하게 웃어보이며 말했다.

"네. 맞아요.. 많이 떠들어서 죄송해요.. 하하하하" 주디도 말했다.

"아니에요. 다음부터 조심해줘요. 그리고 도서관이 곧 문을 닫아서 요. 이제 나갈 준비를 하셔야 할 것 같아요." 그레이스가 부드럽게 말 하고 다시 자리를 떴다.

"휴우.. 큰일 날 뻔 했네.." 주디와 엠마가 서로를 쳐다보며 말했다.

"왜 이렇게 도서관이 빨리 닫지?" 주디가 이상하다는 듯 말했다.

"지금 몇 실까.." 엠마가 손목시계를 쳐다봤다.

"... 히익! 5시? 우리 퇴근할 시간이잖아!"

"뭐어?!"

"하이고.. 오늘 세바스찬하고 제임스, 하루종일 걔네들 끼리만 있었 겠네.."

"그니까..."

"이 일, 우리끼리의 비밀로 하자.. 왠지 말하면 안 될 것 같아. 너무 비밀스러운 얘기이기도 하고."

둘은 이 일을 세바스찬과 제임스에게 말하지 않기로 했다. 왠지 그러 면 안될 것 같아서였다.

03. 여행이란 아름다운 이야기

8번 구역에 휴가가 찾아왔다. 오페라 하우스에서는 통째로 쉴 수가 없었다. 왜냐하면 지상에서 사람들은 항상 꿈을 꿔야 했기 때문이다.

여느 때는 찾아볼 수 없는 한가함이 8번 구역에 맴돌았다. 시원하고도 낭만이 살아 숨쉬는 10월이었다.

오늘따라 프론트는 8번 구역에서 휴가를 내려 오는 사람들로 북적였고, 주디와 엠마도 거기에 포함돼있었다.

조금 전, 에스더 팀장은 평소에는 보이지 않는 미소를 지으며 '오늘의 미션은… 휴가를 즐기는 것입니다!'라고 말했다.

팀원들은 항상 그녀의 주목에 긴장해 있었기 때문에 그 말을 듣고는 환호성을 내질렀다.

주디와 엠마는 오페라 하우스에 오면서 급속도로 친해졌다. 주디와 엠마는 그래서 휴가를 특별하게, 친구와 보내기로 한 것이다. 그들이 갈 곳은 바로.. 아름답기로 유명한 알렉산더슨 해변이었다! 그곳은 꿈나라 사람들이 꼽는 최고의 휴양지였다. 그리고 심지어 해변 옆에 소풍

가기 좋은 언덕도 있어서 그곳으로 소풍을 갈 수도 있었다. 정말 운이 좋게도, 주디의 부모님은 거기에 별장이 하나 있었다. 그들은 딸이 친구와 여행가는데 별장을 쓰는 것을 흔쾌히 허락해 주셨다.

"아 너무 설렌다! 엠마 너랑 여행도 가고 말이야."

"나도 너무 설레. 근데 진짜 대박이다! 너희 부모님 별장이 알렉산더슨 해변 근처에 있다니 말이야!"

"그러게. 어렸을 땐 거기로 놀러가기도 했었거든. 정말 좋아. 나무 위에 나무집이 있는데, 거기 들어가면 진짜 아늑해. 어렸을 때 들어가 봐서 지금은 맞을지 모르겠다."

"나 그런거 너무 좋아!! 나 어렸을때 동네를 한참 싸돌아 다녔거든.."

"하하! 근데 거기 주변 건물도 되게 예쁜 건물들도 많아. 예쁜 꽃들도 많고."

"정말? 너무 기대된다."

그렇게 시끄럽게 떠들던 그들은 벌써 자기 차례가 된 걸 알고 놀랐다.

"안녕하세요, 제인! 저희는 10월 3일부터 5일까지 휴가 낼 거에요. 알렉산더슨 해변으로요."

주디가 말했다.

"알렉산더슨 해변이요? 정말 부럽네요. 휴가 체크 해 놓을게요. 그럼 조심히 갔다와요, 엠마, 주디!" 제인이 웃으며 말했다.

"네!"

주디와 엠마는 기차를 타려고 역으로 갔다.

"9:23기차야. 지금 8:50이고. 역까지는 20분 정도 걸리니까 여유는 있겠다. 지금 출발할까?" 계획형 엠마가 말했다.

"그래!" 그들은 정문으로 가서 택시를 탔다. 택시를 타는 중에도 택시는 하나도 조용하지 않았다.

지금부터 주디와 엠마의 여행 이야기가 시작된다.

첫째 날 10.3.
-주디 씀-

몇 분 뒤, 엠마와 나는 역에 도착했다. 예상대로, 우리는 9시 10분 정도에 도착했다. 우리는 시간이 어느 정도 있어서 기념품 샵으로 발길을 옮겼다. 우리 둘다 쇼핑을 정말 좋아했기 때문이다.

"어! 이 모래시계 목걸이 너무 예쁘다. 모래가 핑크색이야.. 여기 주변에 박혀있는 건 루비같아." 내가 흥분해서 말했다. 나는 아기자기한 목걸이 같은 것을 아주 좋아했기 때문에 그 기념품샵은 나와 아주 잘 맞았다.

"오! 이거 되게 신기하다. 스노우볼에 클라우드 오페라 하우스가 있어!" 엠마가 말했다. 엠마는 그 스노우볼을 요리조리 돌려보며 말했다.

"이 그릇 좀 봐봐. 정말 예쁜 하늘색이야!"

우리는 그렇게 홀린 듯 물건을 구경하고, 몇 개를 구입했다. 엠마는 아까 매우 신기해했던 스노우볼을 샀고, 나는 모래시계 목걸이를 샀다. 그런데 시간은 9:21! 엠마와 나는 헐레벌떡 뛰어서 기차를 타는 곳으로 갔다. 다행히 기차는 아직 안 와있었다. 엠마와 나는 한숨 돌리고 수다를 떨기 시작했다.

"아 이제 휴가가 실감나네.. 기차 오랜만에 탄다." 엠마가 말했다.

"그러게. 나 여기로 이사오고 기차 처음 타보는 것 같아. 우리 특별석으로 예약했으니까 편하게 쉬면서 가자!" 내가 엠마에게 말했다.

"노래도 듣고, 책도 읽고 말이야."

그때 기차가 도착했다. 엠마와 나는 기차에 올라타서 앞자리로 갔다. 그리고 자리를 잡고 앉았다. 엠마는 아까 산 스노우 볼을 자꾸 돌려보고 있었다. 난 내 목에 걸려있는 목걸이를 만지작거렸다. 난 엠마와 대화를 하기로 마음먹었다.

"엠마, 이번 여행에서 꼭 하고 싶은 거 있어?"

"음.. 난 너하고 반지 맞추고 싶어! 심플한 걸로."

"우와! 그럼 반지 꼭 사자!" 내가 말했다.

"알렉산더슨 해변에는 뭐가 있으려나.." 엠마가 스노우볼을 돌리는 것을 멈추고 가방에서 핸드폰을 꺼내 검색을 하기 시작했다. 중간중간 검색하다가 나를 부르기도 했다.

"주디! 알렉산더슨 해변은 날씨가 좋아서 지금 수영해도 안 춥대!" 나 "주디, 알렉산더슨 해변에 엄청 핫한 소품가게가 있는데 거기서 우리 반지 살래?" 등이었다.

난 엠마가 말하는 것에 꼬박꼬박 대답해줬다. 엠마가 검색하는 것을 멈추고 노래를 듣기 시작하자,

엠마가 노래를 들으니 '이제 책이나 읽어야겠다'고 생각한 나는 챙겨온 책을 폈다. 바로 〈어느 작은 마을의 한 탐험대〉라는 책이었다. 요즘 서점에 나온 책이었는데, 한번 훑어보고 너무 재밌어서 바로 샀다. 나는 클라우드 오페라 하우스에서 일하기 시작한 이후로 돈이 넉넉해져

서 자유롭게 물건을 구입할 수 있어서 좋았다. 난 책을 다 읽고 엠마에게 말했다.

"있잖아, 엠마. 내가 최신 베스트셀러 〈어느 작은 마을의 한 탐험대〉라는 책을 읽었는데 진짜 재밌더라." 내가 말했다.

"무슨 내용인데?"

"삼총사가 있거든. 근데 걔네들이 마을을 탐험하는 내용인데 되게 웃기기도 하고 재밌어. 너랑 알렉산더슨 해변에 가니까 또 읽어봤지!"

"오올! 역시 주디야!"

엠마의 칭찬에 나는 나도 모르게 웃음이 나왔다.

엠마가 노래를 흥얼거리고 나는 책을 읽고 있는 사이, 기차가 알렉산더슨 해변에 도착했다.

"이 기차가 곧 알렉산더슨 해변에 도착합니다. 내릴 준비 해주세요." 스피커에서 한 여자의 음성이 흘러나왔다.

"어? 벌써? 생각보다 빨리 왔네!" 엠마와 나는 기지개를 켜며 말했다.

그렇게 기차에서 내린 우리는 보이는 풍경에 감탄했다. 투명 유리로 된 기차역 밖의 경은 정말 아름다웠다. 우리는 그 경이로운 풍경에 입을 벌린 채로 서 있었다. 아름다운 마을이 있고, 에메랄드빛 바다가 넘실거리고 맑은 푸른색 하늘이 펼쳐진 알렉산더슨 해변을 보자, 엠마와 나는 흥분했다.

"와아! 주디 빨리 수영해야지! 너희 별장은 어딨어?"

"어, 잠깐만… 지도 좀 보고. 나도 빨리 가고 싶은데, 오랜만에 와서 그런지 자세히 기억이 잘 안나." 내가 말했다.

"그래. 천천히 해. 아 근데 벌써부터 이렇게 설레면 어떡해!" 엠마는 엄청 초조해 하는 말투로 말했다.

그렇게 엠마와 나는 아름다운 마을을 구경했다. 마을에는 대부분 하늘색, 파란색, 노란색 등의 집이 많았고, 그래서 그런지 더욱 더 시원한 분위기를 풍겼다. '엘로라동', '플로렌스동', '별장동'이라는 세 푯말이 꽂혀 있었다. 그러자 내가 말했다.

"저쪽으로 가면 되겠다. 하도 별장이 많아서 별장동이 생겼네." 내가 신기해하며 말했다.

그렇게 엠마와 나는 별장동으로 갔다. 가면서 정원에 꽃들을 활짝 핀 곳도 있었고, 그네가 있는 곳도 있었다. 그렇게 여러 별장을 지나쳤는데, 내가 갑자기 멈춰섰다. 우리 별장을 발견했기 때문이었다.

"여기야! 우리 별장에 온 걸 환영해, 엠마!" 내가 멈춰선 곳은 정리가 잘 된 멋진 별장이었다. 별장은 연한 노란색으로 칠이 되어 있었다. 우리는 별장으로 들어갔다. 별장 안은 꽤 넓었다. 그 별장은 먼지가 좀 쌓여있는 것만 빼고는 정말 고급스럽고 멋진 곳이었다. 그리고 여러가지 장식품들이 복도에 줄지어 놓여있었다. 나는 어렸을때의 추억이 새록새록 떠올라서 슬며시 미소를 지었다.

"멋지다! 이런 별장이 있어서 좋겠다, 주디." 엠마가 부러운 듯 말했다.

"우리 부모님 꺼라니까. 근데 되게 오랜만이다, 이 별장!" 나는 오랜만에 여행을 와서 설레기 시작했다.

"우리 나무 위에 집 가봐야지! 네가 말했잖아."

"그래!"

엠마와 나는 나무 위로 사다리를 타고 올라갔다. 위에는 꽤 보는 것보다 넓어보이고 아늑한 나무집이 있었다.

"어렸을때 '아늑함' 큐브를 물에 녹인 것과 '개방' 큐브를 물에 녹인 것을 좀 뿌려놨는데, 효과가 있었네."

궁금해하는 표정을 짓는 엠마를 보고 내가 흐뭇하게 웃으며 말했다.

"우리 여기서 내일 아침에 수다도 떨고 놀자!"

그렇게 나무집을 내려온 우리는 수영하러 가기로 했다. 우리는 스노클링 장비를 챙겨 해변으로 갔다. 10월인데도, 날씨는 아주 따뜻했다. 바다는 햇빛을 받아 더욱 아름다웠고, 엠마는 바로 바다에 뛰어들었다. 엠마가 소리쳤다.

"우와! 바다 속이 다 보여! 신기하다.. 주디, 스노클링 좀." 엠마가 바다에 머리를 박은 채 손을 내밀었다.

"어 알겠어!" 내가 스노클링 장비를 엠마에게 던져주었다. 나는 엠마가 너무 즐거워 보여서 나도 해야겠다고 생각했다.

"나도 간다! 이얏!" 나는 그렇게 바다에 뛰어들어서 수영을 했다. 나는 수영동아리 회장도 해본 뛰어난 수영 인재였다. 자신감이 생긴 나는 엠마와 수영 시합을 하자 했다. 당연히 내가 이겼고, 엠마는 울 것 같은 표정이 되었다. 난 순간 나의 실수를 깨달았다. 나는 엠마의 승부욕으로 인해 폭발할 울음보를 대비해 엠마와 다시 수영시합을 했을때 일부로 져줬다. 그러곤 내가 조심스럽게 말했다.

"엠마 꼭 이겨야 하는 건 아니야. 살다보면 이길 수도 있고 질 수도 있지."

"나도 가라앉히려고 노력중이야. 근데 속상한 걸 어떡해."

엠마가 말했다. 엠마는 한번 빼고 전교 1등을 놓친 적이 없다고 했다. 그때 한번은 엠마 인생의 암흑기였어서, 법도 제대로 안 먹고 제일 좋아하는 탐험가 놀이도 안했다고 했다. 심지어 그때 한번은 전교 2등이었는데도.

"여기 귀여운 물고기들이 정말 많아!" 나는 이 눌린 분위기를 깨려고 말했다.

"어디?"

"여기 말이야. 이 산호초 근처."

"우와! 나도 스노클링 해야겠다."

그러곤 나는 스노클링 장비를 가져왔다.

몇 시간 뒤, 엠마와 나는 서로 충분히 수영 했다고 생각했을 땐, 깜깜한 밤이었다. 그래서 우리는 별장으로 가서 목욕과 양치를 한 뒤, 침대에 누웠다. 그리고 열정적인 수영 때문인지, 이것저것 보느라 피곤했던 눈 때문인지, 금방 잠에 들었다.

둘째 날 10.4.
-엠마 쏨-

나는 오늘도 아침 일찍 눈을 떴다. 그리고 서둘러 주디를 깨우려 했을때, 시간은 어김없이 6:00였다. 나는 매일 자동으로 이 시간에 일어났다. 나는 주디를 깨우는 것을 관두고, 차를 끓일 준비를 했다. 오늘 아침에 수다를 떨고 점심엔 소풍을 가기로 했기 때문이다. 일단 나는 2

개의 컵을 씻고, 잘 닦았다. 몇분뒤, 다 된 차를 주전자에 넣고, 마을 가게에서 샌드위치 몇개(주디의 햄치즈 샌드위치와 내 해산물 샌드위치)와 오렌지 주스 두병을 사고, 모든 할일을 끝내자 시간은 6:45이었다. 그래서 나는 눈을 더 붙이기로 했다.

주디와 나는 지금 나무집 위에 있었다. 우리는 오늘 계획을 이야기하며 차를 마셨다.

"근데 엠마, 네가 사고 싶었던 우정반지, 오늘 살까?"

"그래 좋아! 내가 좋은 소품점 알아볼게." 내가 핸드폰을 들고 검색을 하기 시작했다. 나는 "여깄다!"하고 소리친 뒤, 주디에게 화면을 보여줬다. 화면에는 '줄리스 마켓'이라는 글씨가 떴다.

"줄리스 마켓. 거기가 예쁜 게 많이 있대. 우리 소풍 갔다 와서 거기 가자. 어때?"

"좋아!"

"그럼 오늘의 계획은..소풍 갔다가 반지 사기?"

"응!"

주디와 나는 그렇게 말을 이어갔다. 한 30분쯤 수다를 떨고, 주디와 나는 소풍을 가기로 했다. 그것에 대해 주디는 내게 근처에 공원과 절벽 중 어디로 갈 것인지를 물었다.

나는, "당연히 절벽 근처 잔디밭이지!"라고 대답했다.

그래서 둘은 잔디밭으로 갔다. 절벽을 올라가려면 계단을 올라가야 했는데, 계단이 무척 많아서 둘다 지쳐버렸다. 그리고 위로 올라간 뒤, 나는 아침에 준비한 샌드위치와 오렌지 주스를 꺼냈다.

그러자 주디가 나에게, "와 대박. 이걸 다 언제 준비했대."라고 놀라서 말했다.

내가 미소지었다.

그리고는, "우아! 바람 많이 분다." 내가 말했다.

주디가 이어서 말했다.

"여기가 바람이 많이 불어서 이름이 '바람의 언덕'이야. 여기 있으면 진짜 시원해져!"

"아하!" 내가 말했다. "우리 이제 샌드위치 먹자!"

"그래!" 우리는 샌드위치를 우걱우걱 먹어대기 시작했다. 시원한 바람이 코끝을 스치자 저절로 기분이 좋아졌다. 나는 신나서 언덕을 막 뛰어다녔다. 그런 나를 보고 주디는,

"엠마, 조심해! 그러다가 떨어지면 어쩌려고!"라고 걱정을 해주었다. 난 주디 같은 따뜻한 친구가 있어서 너무 행복했다. 내가 말했다.

"우리 내일은 뮤지컬이나 영화같은 거 보러 갈래?"

"좋아! 나도 그런거 보는 거 좋아해!"

밤은 깊어지고, 우리는 더 즐겁게 내일의 계획을 짜기 시작했다.

"주디, 이제 줄리스 마켓 가자. 거기가 밤에 가기 좋은 명소래. 조명이 엄청 예쁘다더라."

"그래. 빨리 가자."

우리는 언덕에서 내려와 핸드폰에서 지도를 보며 줄리스 마켓으로 갔다. 밤이 된 알렉산더슨 해변은 정말 환상적이었다. 어제 너무 힘들어서 보지 못한 아름다움이 구석구석 숨어있었다. 사람들도 우리같이 기념품을 사려고 골목을 돌아다녔다. 우리는 가게에서 슬러시 2개를

사 쪽쪽 빨면서 줄리스 마켓으로 향했다.

 줄리스 마켓에 도착했을 땐, 사람들이 아주 북적이고 있었다. 내가 말했다.

 "은근 핫스팟이라고 하더니.. 사람이 정말 많네.."

 "어머, 귀여운 인형들이 진짜 많다!"

 "이 마그넷 좀 봐!"

 우리는 인형들과 다른 소품들에게서로부터 눈을 떼지 못했다. 튜브를 매고 있는 귀여운 강아지 인형, 알렉산더슨 해변이 그려져 있는 마그넷. 우리는 한동안 소품들을 구경을 했다.

 "그나저나, 반지는 어디있으려나..." 내가 말했다.

 "우리 빨리 반지 찾아보자." 주디가 말했다.

 "여기가 반지 코너인가봐." 내가 말했다. 나는 반지가 아주 많은 곳을 가리키며 말했다. 내가 가리킨 곳에는 아름다운 진주 한알이 박혀있는 반지, 작은 흰색 보석들이 반지를 두르며 박혀있는 반지, 얇은 핑크 골드 반지... 종류가 아주 다양했다. 나는 핑크 골드 반지가 제일 마음에 들었는데, 내 맘대로만 결정 할 수는 없어서 주디의 의견도 물어보기로 했다.

 "주디, 넌 뭐가 제일 예뻐?"

 "난.. 저 핑크 골드로 되어 있는 거. 그게 제일 이쁘다. 뭔가 따뜻한 느낌이 들어." 주디가 나를 향해 미소지으며 말했다.

 "나두야! 우리 그럼 그거 살까?" 내가 주디에게 물었다.

 "그래 좋아!"

그렇게 나와 주디는 우정 반지를 맞췄다. 그리고 각자 손가락에 소중한 반지를 끼웠다. 난 이 반지처럼 우리의 우정도 오래도록 반짝이면 좋겠다는 생각을 했다.

그리고 우리는 주디네 별장으로 갔다. 아늑한 별장 정원이 우리를 맞아주었다. 그리고 주디와 나는 침대에 눕자마자 잠에 들었다. 나는 자기 전 생각했다.
'내일이 마지막 날이니까, 실컷 놀아야지.'

셋째 날 10.5.
-주디 씀-

엠마와 나는 아침에 영화를 보러 가기로 했다. 영화관은 주황색 벽돌로 지어진 반듯한 건물이었다. 우리는 시멘트로 된 계단을 올라가서 영화관으로 들어갔다.

영화 제목은 〈빅토리아 연대기〉였다. 그 영화에서 나오는 소녀는 꽤 예뻤다. 소녀의 옷 스타일도 내 마음에 쏙 들었다. 내용은 아프신 어머니를 낫게 하기 위해 치유의 풀을 찾아 나서는 내용이었다. 엠마는 영화를 다 본 뒤 훌쩍이며 울었다. 나는 영화를 다음에 가족들과 함께 보고 싶었다. 영화가 너무 마음에 들었기 때문이다. 나는 판타지 영화 애호가였다.

영화를 다 보고 둘은 알렉산더슨 해변에서 유명한 과자가게인 Mr.그렌베른 과자가게로 갔다. 과자가게 건물은 빨간색과 흰색의 줄무늬가 그려져 있었고, 노란색 글씨로 'MR.그렌베른'이라는 분홍색 간판이 붙어있었다.

　그곳에 들어가자마자 달콤한 향이 풍겼다. 안에는 치실 캔디, 행성 젤리, 구름 솜사탕, 종류별 꽃 껌 등 매혹적이고 신기한 사탕이 정말 많았다. 치실 캔디는 실제로 양치한 것보다 효과가 좋았고, 행성 젤리는 각 행성의 디테일을 완벽하게 담아냈다. 금성은 뜨겁고 천왕성은 차가운 것까지. 그리고 구름 솜사탕은 정말 부드러웠다. 마치 구름을 먹는 것처럼 말이다. 엠마는 꽃 껌을 먹어보고 싶다며 시식 코너로 갔다. 엠마가 맛본 꽃 껌은 정말 환상적이었다고 한다. 꽃 껌은 향이 좋고 오랫동안 맛이 났다. 엠마는 특히 향긋한 라일락 향 껌과 많이 달지 않아서 중독성있는 아카시아 향 껌을 좋아했고, 나는 달달한 벚꽃 향 껌을 좋아했다. 그래서 엠마는 라일락과 아카시아 향 껌을 박스채 2개 샀다. 나는 그냥 벚꽃 향 껌을 봉지로 1개 샀다. 왜냐하면 나는 껌을 씹는 것을 별로 좋아하지 않기 때문이다. 엠마는 약간의 미련을 남기고, 과자 가게에서 나왔다.

　그리고 우리는 북카페로 갔다. 우리는 메뉴판을 훑어보고, 엠마는 복숭아 아이스티를, 나는 딸기 요거트를 주문했다.

　"음… 복숭아 아이스티 하나하고, 딸기 요거트 하나 주세요."

　"네! 여기 진동벨이요." 점원이 말했다.

　둘은 진동벨을 받고 테이블에 앉았다. 의자가 정말 폭신했다. 그곳에서 휴식을 취하려던 찰나, 진동벨이 울렸다.

　"ㅈㅈㅈㅈㅈ ㅈㅈㅈㅈㅈ"

　그래서 나는 진동벨을 들고 계산대로 가서 음료 두 잔을 받아왔다.

　점원이 말했다.

"저기 책꽂이 있고요, 원하는 책은 모두 읽으셔도 됩니다!"

"네!"

우리는 음료를 마시면서 책을 읽기 시작했다. 내가 고른 딸기 요거트는 딸기의 식감이 아주 쫄깃했다.

난 사람들의 심리에 대한 책을 읽었다. 사람들을 크게 세가지 유형으로 나누면 과거를 생각하는 사람, 현재를 생각하는 사람, 미래를 생각하는 사람으로 나뉘는데, 난 보니 미래를 생각하는 사람이었다. 왜냐하면 나는 항상 미래의 내 모습을 생각하며 힘을 내기 때문이었다. 하지만 너무 미래만 향해 달려가지 말고, 과거를 생각해보며 내가 실수했던 것을 보완해보고, 현재를 생각하면서 지금 하고 있는 것에 집중을 하는 사람이 제일 훌륭한 사람이라는 결론을 내고 난 책을 덮었다.

우리는 꼬박 3시간동안 책을 읽었고, 기차시간에 맞춰 역에 도착했다. 그리고 기차에 타고 드림타운으로 출발했다.

나와 엠마는 다시 드림타운 역에 도착했다. 택시로 갈아탄 우리는 창문 너머로 클라우드 오페라 하우스를 바라봤다.

이번 여행은 정말 잊을 수 없을 것 같다는 생각으로, 여행이란 이 아름다운 이야기를 마무리했다.

제3부

비밀스러운 모험

01. 문제

주디는 평소와 같이 클라우드 오페라 하우스로 출근했다. 칙칙한 화요일 아침이었다. 주디가 '날씨가 왜 이렇게 안 좋을까?'하는 생각을 하며 나갈 채비를 다 하고 밖으로 나갔는데...

마법의 강물이 진한 남색으로 물들어 있었다! 평소와 같았으면 속이 다 보였을 마법의 강이. 강변에는 여러 사람들이 그 광경을 뚫어져라 쳐다보고 있었다. 모두들 얼굴에 걱정이 가득했다.

주디 또한 너무 놀라서 입을 다물지 못했다. 그녀는 클라우드 오페라 하우스로 뛰어가기 시작했다. 그녀의 허리에 달려있던 핸드백이 사정없이 흔들렸다. 주디는 전속력으로 달려서 아르만도 관장님의 초상화를 지나, 클라우드 오페라 하우스 8번 구역에 도착했다. 역시나, 8번 구역에서도 엄청난 소란이 있었다.

"어떻게 된거야?"

"왜 멀쩡하던 마법의 강이 갑자기 남색으로 변한 거냐고!"

"그럼 우리 매직 큐브는 어떻게 만들지?"

"일은 쉬는 건가?"

한 철없는 신입사원이 눈치없게 말했다. 그러자, 옆에 있던 중년 남자가 그 신입사원을 째려보았다.

웅성웅성하는 사람들 속에서 한 여자가 나타났다. 그녀는 바로, 에스더 팀장이었다.

"자자 조용! 이제 소란은 그만! 오늘은 잠깐 활동을 중지하겠다. 나도 밤 사이에 마법의 강에 무슨 일이 일어났는지 몰라. 하지만, 우리는 어떻게든지 문제를 해결해야 한다. 이 문제를 해결해 줄 팀을 모집하겠다. 이 팀은, 우리 클라우드 오페라 하우스를 대표해, 우리 꿈나라를 대표해 모험을 떠날 것이다."

아무도 손을 드는 사람이 없었다. 모두들 마주할 운명이 두려운 듯했다. 그때 주디가 손을 번쩍 들었다. 그녀가 손을 든 이유는 꿈나라에 도움이 되는 일을 하고 싶었기 때문이었다. 그녀는 항상 어렸을 때 부모님께 그렇게 배우고 자랐기 때문에 이런 일이 일어났을 때 나서는 건 그녀에게 당연한 일이었다. 그런데 아무도 손을 들지 않아 주디는 두려워졌다. 혼자 모험을 떠나야한다는 생각에 점점 더 마음이 무거워지기도 했다. 그런데 엠마, 제임스, 세바스찬도 용기가 생겼는지, 손을 연이어 들었다. 친구들이 손을 들자, 주디는 안도의 한숨을 내쉬었다.

"용기를 내줘서 고마워. 최대한 빨리 문제의 원인을 찾고 해결해 줘."

에스더가 떨리는 목소리로 말했다.

"오늘은 바로 퇴근하시길!" 에스더 팀장님이 말했다.

그리고는 밀물처럼 빠져나가는 사람들을 흘깃 보며 주디, 엠마, 제임스, 세바스찬을 따로 불러 말했다.

"너희들은 아르만도 관장님의 사무실로 가보렴. 줄게 있으시다고 한단다. 사무실은 5층 도서관 앞에 있단다."

그렇게 넷은 아르만도의 사무실로 갔다. 엘리베이터를 탄 그들은 각자 고민에 잠겼다. 모두들 '앞으로 어떻게 해야 하지?'라는 고민이 제일 컸다. 엘리베이터가 5층에 도착하자, 그들은 아무 말도 하지 않고 내렸다. 그들은 '똑똑똑' 노크를 하고 아르만도 관장의 사무실로 들어갔다. 멋진 장식을 기대했던 넷은 그의 겸손함에 감탄했다. 그곳에는 정말 소파와 책상, 의자 그리고 책장만 있었다. 아르만도와 다이애나는 닮은 점이 참 많은 것 같았다.

"이렇게 꿈나라의 도움이 되는 일을 잘 해줘서 정말 고맙다."

"아닙니다. 저희도 꿈나라 사람이니 책임감을 가지고 해야죠." 주디가 말했다.

"맞습니다. 저도 꿈나라에게 도움이 되고 싶어서 이 일을 하기로 했습니다."

"아주 바람직한 신입사원들이구나. 내가 너희를 여기 부른 이유는, 내가 너희에게 이 문스톤 팬던트를 주려고 하기 때문이다. 이야기에서도 나오듯이, 이 팬던트는 너희가 어려운 일에 처했을 때 도움이 될 거야. 지금 당장은 나보다 너희에게 이 팬던트가 필요 할 것 같구나." 아르만도가 말했다.

"네에? 아, 네.." 넷을 얼떨결에 문스톤 팬던트를 받아들었다.

"그럼 행운을 빈다."

"네! 감사합니다. 다녀오겠습니다, 관장님!"

그리고 넷은 엘리베이터를 탔다. 그들은 서로 문스톤 팬던트를 주고 받으며 구경하고 있었다.

"난 맨날 모형으로 된 것만 갖고 다녔는데.. 이걸 실제로 볼 줄이야." 제임스가 문스톤 팬던트를 멍하니 바라보며 말했다.

"우아.. 근데 이 색이 너무 예쁘다. 정말 포근해보여." 엠마가 말했다.

"살다살다 별 일을 다 겪어보네.." 세바스찬이 조용히 한숨을 내쉬며 말했다.

그들은 1층 로비를 지나, 다시 8번 구역으로 왔다.

"받아왔어요! 팀장님."

"그래. 조심히 다녀오렴.." 에스더 팀장님의 얼굴에는 걱정하는 기색이 역력했다.

"네! 알겠어요, 팀장님. 내일 마리안 골짜기로 떠날게요."

주디가 말했다.

"마리안 골짜기?" 모두들 물었다.

"응. 마법의 강이 시작되는 곳이야. 그곳에 가면 마법의 강이 왜 그렇게 됐는지 잘 알 수 있을 거야. 내가 어렸을 때 살던 코코아 마을 옆에 있어서 잘 알아."

주디가 대답했다.

그렇게.. 탐험이 시작되었다.

친구들은 가방을 쌌다. 엠마와 주디는 책을 넣기에 바빴고, 제임스와 세바스찬은 먹을 것을 넣었다. 세바스찬은 엠마에게 꽃 껌을 가져가자고 제안했지만, 엠마는 최근 엠마가 팀원들에게 먹으라고 둔 라일락 향 껌을 세바스찬이 거의 다 씹어버린 사건 때문에 그의 제안을 단칼에 거절했다.

"근데 우리 어쩌자고 이런 짓을 하는거지?" 세바스찬이 힘이 다 빠져서 말했다. 그는 가방을 싸는 데 지쳐서 나자빠졌다.

"그럼 넌 아까 왜 손을 든 거야? 우리는 룰루랄라 소풍이나 가는 게 아니라구. 우리는, 꿈나라를 구하러 가는 거야." 엠마가 한심하다는 듯 말했다.

세바스찬은 그런 엠마의 말에 말문이 막혀버렸다.

한동안 24번 기지에서는 말이 오가지 않았다.

그러다 주디가 도서관에서 얻어온 누런 지도를 펼치며 말했다. 지도는 상당히 오래되어 보였는데, 그래서 그런지 더욱 탐험하는 분위기가 풍겼다.

"우리 꿈나라의 서쪽은 클리앙이고, 동쪽은 항구도시 루나빌리지 그리고 낭만의 도시 로렌시아가 있고, 북쪽은 우리 드림타운과 마법의 강이, 더 북쪽에는 만년설이 있는 크루크소가 있어. 거기서는 모든게 얼음으로 된 호텔도 있다 그러더라. 그리고 남쪽은 코코아 마을과 함께 마리안 골짜기가 있어. 우리는 내일 여기, 남쪽으로 갈거야. 엄청 오래 걸리니까, 참을성있게 가보자! 그리고 택시는 미리 예약해 뒀어."

"지금 간단하게 마법의 강을 분석하고 가는 건 어때? 내일 도움이 될거야."

제임스가 제안했다.

"그래, 좋았어!" 모두들 외쳤다.

친구들은 마법의 강으로 갔다. 마법의 강은 여전히 남색이었다. 멀리서 봐도 알 수 있었다. 주디가 제안했다.

"우리 흩어져서 찾아보자. 이렇게 하면 너무 오래 걸릴 것 같아."

주디의 말대로, 친구들은 흩어져서 마법의 강을 이곳저곳 둘러 보기 시작했다. 30분 쯤 지났을 때, 갑자기 세바스찬이 소리를 질렀다.

"아아악!!!"

"왜 그래?" 모두들 놀라서 말했다. 모두 세바스찬이 있는 곳으로 뛰어갔다.

"저기.. 저기에.. 죽음의 풀이!" 세바스찬은 땅 위에 나자빠진 채 말했다. 그의 말에 모두들 숨을 허억 내뱉었다.

"죽음의 풀? 말도 안돼! 그게 어떻게 여깄어! 미안한데 난 너 못 믿어."

엠마가 소리쳤다.

"아니야! 내가 이 두 눈으로 똑똑히 봤단 말이야! 정말 이번만은 믿어 줘!"

"그럼..?" 모두 서로의 눈을 마주봤다.

그들은 죽음의 풀에 대해 닥치는 대로 모두 조사했다. 〈죽음의 풀, 그것의 모든것〉, 〈로위나의 약재방 지식〉, 〈앤드로이, 그는 위인이었나〉 등의 책들을 도서관에서 빌려와, 닥치는 대로 공부했다.

그 결과, 죽음의 풀은 '마가르타'라는 풀로 없어진다는 것을 알아냈다. 하지만, 문제는.. 마가르타는 아주아주 희귀한 풀이었다. 조사한 결과,

"죽음의 풀은 먹으면 무엇이든지간에 죽는 풀이다. 죽음의 풀은 꿈나

라에서는 초등 2학년 교육과정에 수록되어 있을 만큼 아주아주 무섭고 위험한 풀이다. 그것은 특히 아이들에게는 공포의 대상이었고, 생김새는 다른 풀들이나 다름없는데, 줄기 바깥쪽에 검은 반점이 여러 개 찍혀 있다는 것이 차이점이다. 이 풀은 네셔널 센터의 52대 총리 앤드로이의 농약혁명에 의해 점차 사라져 갔다. 하지만 꿈나라 사람들은 혹시 몰라서 풀이나 식물로 샐러드를 만들때, 바깥쪽을 꼭 확인하고 먹는다. 그리고 이 위험하고도 희귀한 풀은, 산 골짜기나 깊은 숲속에서 발견되는데, 저승에서는 쉽게 발견 할 수 있다. 그 까닭은 죽음의 풀이 저승에서는 효과가 없기 때문이다. 사람이 두 번 죽을 수는 없으니까.

그리고 죽음의 풀을 치료할 수 있는 유일한 것은, 마가르타 풀이다. 그것은 절벽에서 주로 발견된다. 마가르타는 아주 지혜로운 여인이었다고 한다. 그래서 마가르타를 먹으면 지혜로워지는 효능도 있다." 라는 정보를 얻었다.

02. 탐험

이른 아침부터 친구들은 24번 기지에 모여 계획을 짜고 있었다. 모두 걱정 반 기대 반의 표정이었다.

"7:30에 택시 예약했으니까 그때쯤 나가자. 우리의 계획은 일단 마리안 골짜기 옆 코코아 마을에 가서 주민들한테 어젯밤 사이에 무슨 일이 있었냐고 물어보고 마리안 골짜기로 가서 무슨일이 있는지 확인하는 거야. 만약 그게 진짜 죽음의 풀이라면.."

주디가 말했다.

"진짜라니까아!"

세바스찬이 억울하다는 듯이 소리쳤다.

"알겠어, 알겠어! 우린 그 죽음의 풀을 치료할 수 있는 마가르타 풀을 찾으러 가야해. 근처에 절벽 하나가 있던데. 거기 있으면 좋겠네.. 그런데 어떻게 올라가지.."

주디가 말을 흐리며 말했다.

"내가 올라갈게! 난 암벽등반 자격증도 있다고! 장비만 있으면 올라갈 수 있어."

제임스가 말했다.

"근데, 괜찮겠어..?"

모두들 걱정스럽게 말했다.

"응. 나 장비좀 챙기고 올게."

제임스가 자신있는 표정으로 말했다. 그리고 그는 기지에 있던 암벽
등반 장비를 꺼내왔다. 신기하게도, 제임스는 안벽등반 장비를 항상 가
지고 다녔다.

"27분이야! 출발하자."

세바스찬이 말했다.

친구들은 정문으로 달려가 택시에 탔다.

택시는 부릉부릉 마리안 골짜기로 향했다. 참을성 없는 세바스찬이
택시 기사님께 말을 걸었다.

"택시 기사님은 어디 사세요?"

"난 좀 작은 마을이다만, 정말 아름다운 마을인 코코아 마을에 산단
다. 주로 코코아마을 근처에서 일하지."

"어! 그럼 마법의 강이 왜 남색으로 물든 건지 아세요?"

모두들 깜짝 놀라서 말했다.

"음… 내 생각이다만, 이번 일은 죽음의 풀과 관련되어 있는것 같아.
옛날에 죽음의 풀이 마법의 강에 들어간 적이 한번 있었거든."

"네에? 뭐라고요?"

모두들 눈을 휘둥그레 뜨고 말했다.

"40년 쯤 전인가.. 어느날 갑자기 지금처럼 마법의 강이 남색으로 물

든 적이 있었어. 골짜기에서만 말이야. 그땐 정부에서 아무도 모르게 한다고 '깨끗' 큐브와 '건강' 큐브를 물에 탄 것을 병든 마법의 강에 넣었지. 근데 죽음의 풀이 그런 것에 치유 될리가 있나. 그 옛날에는 마법의 강 물을 그대로 마시기도 했는데, 마신 사람들은 시름시름 앓다가 몸져 눕게 되었어. 다행히 '건강' 큐브를 넣었기 때문이었지만, 사람들은 오래 버틸 수 없을 만큼의 상태가 되었지. 그러자 코코아마을에서 용감하기로 소문난 '톰'이라는 어린이가 마가르타 풀을 찾아 나서기로 했지. 톰의 이야기가 전해 내려오는데, 이야기 해줄게. 우리 코코아마을에서는 모르는 사람이 없을 거야. 톰은 코코아마을 옆에 있는 절벽으로 향했어. 절벽에 마가르타 풀이 자란다는 것을 알고 있었거든. 톰은 절벽 위로 올라가느라 무릎, 팔꿈치 까질 수 있는데는 다 까졌어. 하지만 톰은 포기하지 않고 절벽 위로 끝까지 올라왔지. 그래서 톰은 마가르타 풀을 손에 쥐고 마을 사람들의 환영을 받으며 절벽을 내려왔어. 그리고 마리안 골짜기 상류층에 마가르타 풀을 갈아 넣었지. 그 결과, 마법의 강은 다시 깨끗해졌단다. 하지만 하늘이 애석하기도 하지. 정부는 이 일을 비밀로 하려고 톰에게는 몰래 달랑 상금 몇푼만 줬어. 그런데 누가 죽음의 풀을 넣은 건지는 아무도 몰라. 우리가 풀어야 할 미스터리란다."

"네? 톰은 제 아버지세요! 어쩐지 아버지 몸에는 상처가 많았어요."

이야기를 듣던 주디가 놀라서 말했다. 그러자 친구들이 놀라서 탄성을 내질렀다.

"정말?"

"네가 톰의 딸 주디구나! 만나서 반갑구나. 우리 코코아마을에서 너를 모르는 사람이 없단다."

"아 그런가요?.. 그런데 아버지는 왜 제게 이런 일을 말해주시지 않았을까요?"

"아마도 너의 겸손을 위해서 였을거다. 너도 알다시피, 톰은 아주 겸손을 중요시하는데, 네가 톰의 딸이라는 걸 자랑하면 안 되잖니. 그때 당시 톰은 영웅이었으니까."

"근데 어떻게 죽음의 풀이 마법의 강에 들어간 걸까요? 꿈나라에서 저엉말 중요한 강이잖아요. 꿈나라 국민들 중에서 마법의 강이 죽게 되는 것을 원하는 사람이 어딨겠어요?"

"글쎄다. 학자들은 여전히 연구 중이란다. 그것에 대해선 나도 잘 모르겠다."

"저흰 마법의 강의 문제를 찾고 다시 원래대로 되돌리기 위해 여기에 왔어요. 하지만 문제의 원인은 이미 확실히 찾은 것 같군요!"

주디가 말했다.

"톰의 딸답구나, 주디! 그리고 너희 셋도 정말 대단해."

택시 기사님이 주디, 엠마, 제임스, 세바스찬을 칭찬했다.

그리고 그들은 여러 대화를 오랫동안 나눴다.

"이제 도착이란다, 얘들아. 코코아마을에 온 것을 환영한다. 덕분에 간만에 수다도 떨고 재밌었어. 고맙다."

"벌써요? 정말 시간이 빨리 지나갔네요! 저희도 감사해요. 마법의 강과 죽음의 풀에 대해 더 잘 알수 있었어요."

모두들 택시 기사님께 꾸벅 인사했다.

"주디, 정말 대박인걸? 네가 영웅 톰의 딸이라는 거 말이야."

"그러게. 그리고 이 택시 기사님을 만난 건 우리에게 행운이었어."

모두들 말했다.

"우리 이제 코코아마을 주민들한테 어젯밤 무슨 일이 있었는지 아냐고 한번 물어보자." 엠마가 말했다.

"그래."

모두들 사람들에게 어젯밤 무슨 일이 있었는지 물어보기 위해 팀을 짰다. 주디는 엠마와, 제임스는 세바스찬과 조사를 해보기로 했다.

두 팀은 코코아마을 사람들의 집 대문을 똑똑 두드린 다음, "어젯밤 무슨 일이 있었나요? 마법의 강이 검게 물들었어요."라고 물었다.

주디와 엠마가 찾아간 집에는 한 아주머니가 있었는데, 이렇게 말했다.

"아! 어제! 어젯밤에 좋았던 날씨가 갑자기 흐려지면서 먹구름이 잔뜩 꼈어. 그다음부터는.. 나도 잘 모른단다. 미안하구나."

또 다른 아이를 키우는 한 젊은 여자의 집에서는,

"어제 아기가 많이 울었어요. 정말 유별나게 많이 울었죠. 그리고 저희 강아지.. 코코도 유난히 심하게 짖어댔고요. 그것 말고는 특별한 건 없었어요."라는 답변을 들었다.

제임스와 세바스찬이 찾아간 집에는 한 할아버지가 있었는데, 이렇게 말하셨다.

"어제.. 어제는 항상 더워서 붙여진 이름인 우리 코코아마을에, 정말 놀라운 추위가 찾아왔어.. 정말 추웠지. 하지만 나도 왜 마법의 강이 검게 물든 지는 모른단다."

그리고 다음으로 찾아간 한 남자의 집에서는

"유별나게 이상한 날이었죠. 막 비가 내리고.. 그래서 저희 딸과 소풍을 가지 못했어요. 정말 최악이었죠. 하지만 마법의 강이 물든 것과 관련이 있는 것은 나도 잘 모르겠어요."라는 답변이 들려왔다.

"자자, 다들 조사 잘 했어?"주디가 말했다.

"음.. 딱히 특별한 건 없었대. 날씨가 안 좋았던 것 빼고.." 제임스가 말했다.

"우리도.. 그리고 아기가 많이 울고 개가 많이 짖었대." 엠마가 말했다.

"그럼.. 날씨가 안 좋고, 아기가 많이 울고 개가 많이 짖었다는 건 무슨 의미일까? 아직까지는 잘 모르겠다." 엠마가 말했다.

그들은 잠깐동안 생각에 잠겼다가 하루빨리 마리안 골짜기에 무슨 일이 생긴지 알아야 했기 때문에 빨리 골짜기로 출발하기로 마음을 먹었다.

"이제 떠나볼까?"

주디가 말했다.

탐험이 시작되었다. 그들은 먼저 글루미 폭포를 지났다.

글루미 폭포는 말 그래도 정말 뿌연 안개로 둘러쌓여 있는 우울한 폭포였다. 모두들 일찍 일어나서 그런지, 잠을 깨우기 위해 글루미 폭포의 시원한 물로 세수를 했다. 물 위의 떠 있는 징검다리 들을 밟고 다음 목적지로 향했다.

그들의 다음 목적지는 바로, 아주 높은 곳에 위치한 출렁다리였다. 엠마가 고소공포증이 있어서 모두들 출렁다리를 건너느라 많은 시간을 소요했다.

출렁다리를 지나면, 아름다운 숲이 하나 있었는데, 그 숲의 이름은 레인디어 포레스트였다. 옛날에 그 숲에 사슴이 많아서 그런 이름이 지어졌다고 한다.

레인디어 포레스트에서 모두들 낙엽을 밟으며 걸었다. 숲이 너무 아름다워서 모두 탄성을 내뱉었다. 평소에 도시에 살던 그들이 시골에와서 시골 공기를 맡아보는 것은, 그들에게 아주 색다른 경험이었다.

"아아 공기 좋다."

"오랜만에 등산하는 기분이 드네.."

레인디어 포레스트는 생각보다 많이 넓었다. 그래서 그들은 오랜 시간 걷고, 걷고, 또 걸었다. 얼마나 지났을까? 20층 높이는 되어 보이는 위로 솟은 절벽이 나타났다.

"이게 그 절벽이야?"

제임스가 물었다.

"생각보다 많이, 많이 높네… 일단 장비 좀 꺼내줘. 내 백팩 두번째 주머니에 있을 거야." 제임스는 레인디어 포레스트를 걷느라 다 탕진시켜버린 에너지 때문에 어떻게 올라갈까, 고민 중인 것 같았다. 제임스는 이를 악물고 절벽을 올라가기 시작했다. 다행스럽게도, 절벽에 종종 깎여져 있는 바위 덕분에 제임스는 중간중간 쉴 수 있었다.

그들은 한동안 제임스가 절벽을 올라가는 것을 보고 있었다. 그리고 모두들 이런 생각을 했다. '주디 아버지는 장비도 없이 여길 어떻게 올라가셨을까?' 아니면, '상금 몇푼이 말이 돼?' 였다. 그들은 제임스의 집중이 흐트러질까봐 감히 말도 하지 못하고 조각상같이 서 있었다.

제임스는 그렇게 몇 시간 동안 클라이밍을 했다. 중간에 '안돼, 안돼' 소리가 좀 많이 들렸지만.

결국, 오랜 시간 끝에 제임스가 '있다아아! 있다아아! 있어어!'하는 소리가 들려왔고, 아래 있던 모두들 함성을 내질렀다. 제임스는 장비를 통해 내려올 땐 아주 가뿐히 내려왔다. 그리고 제임스가 말했다.

"찾았어, 내가 찾았어!"

제임스는 크리스탈 병 안에 있는 절벽 끝에서 채취한 노란색 풀을 모두에게 보여줬다. 제임스의 얼굴에는 오랜만에, 환한 미소가 번졌다.

"암벽등반이 이렇게 어려웠던 건 처음이야. 주디 아버지, 정말 대단하시다는 것을 느꼈어. 장비도 없이 말이야.."

"우리도 알 수 있더라. 얼마나 힘들겠는지.. 고생했어, 제임스.." 엠마가 말했다.

"그니까.. 정말 고마워," 주디가 방긋 웃었다.

"이제 마리안 골짜기로 떠나자!"

10분 후, 그들은 마리안 골짜기에 도착했는데, 마리안 골짜기의 점점 위로 올라갈수록 물이 검어졌다.

그들은 빠르게 계곡 상류층으로 올라갔다. 그중에서는 특히 제임스가 가장 헉헉댔는데, 아까 너무 에너지를 많이 써서 그런 것 같았다.

그들이 몇분 뒤, 마리안 골짜기 상류층 끝에 도착했다.

그리고 남색으로 변한 샘을 확인했다. 모두들 그 광경을 보고 한숨을 내쉬었다. 그런데 그곳에 죽음의 풀이 보란 듯이 무더기로 쌓여 있는게 아닌가! 마가르타 풀 한 잎으론 턱없이 부족할 터였다. 그러자 제임스가 허무하게 말했다.

"안돼에…"

그런데 그곳에는 의문의 쪽지가 한 장 놓여있었다.

모두들 말했다.

"어? 뭐지?"

주디가 그것을 읽기 시작했다.

"너희들은 지금 큰 곤경에 빠져있다. 너희를 그렇게 만든 것은 바로, 나, ＿＿이다. 이것이 나의 첫 번째 문제이다.

그리고, 너희가 만약 나와 이야기를 하고 싶다면 내가 있는 곳으로 찾아와라. 내가 있는 곳으로 찾아오는 것이 바로 두 번째 문제이다."

"뭐야! 자기가 누군지 우리가 어떻게 알아!" 세바스찬이 말했다. 그의 목소리에는 약간의 원망스러움이 섞여 있었다.

"음.. 범위를 점점 좁혀가면서 생각해 보자구. 일단 이 사람의 이름은 네 글자야. 그리고, 꿈나라 사람들을 곤경에 빠뜨리고 있지.." 주디가 말했다.

"그것만으로는 찾기가 너무 어려워.. 어떻게 하지?" 엠마가 망설였다.

"그런데.. 꿈나라 사람들을 곤경에 빠트리고 있었으니까, 꿈나라 사람들이 아니지 않을까? 우리 꿈나라 사람들은 공동체 정신과 우리나라에 대한 자부심이 대단하잖아." 제임스가 말했다.

"맞긴 해. 그런데 그럼.. 이승이나 저승 사람이 우리 꿈나라에 와서 이런 짓을 했단 말이야? 말도 안돼.. 이승, 저승, 꿈나라를 잇는 문 같은 게 있는 것도 아니고.." 세바스찬이 애써 웃어보이며 말했다.

"하긴 그래..." 모두들 다시 생각에 잠겼다.

"잠깐만, 잠깐만.. 있어!!" 엠마가 말했다.

"뭐?!"

"이 세상에는, 이승과 저승, 꿈나라를 잇는 문이 있어!" 엠마가 말했다.

"맞아! 그것도 클라우드 오페라 하우스에! 비밀통로에 있어!" 주디도 막 깨어난 사람처럼 말했다.

"뭐? 나 너희가 무슨 말을 하는지 하나도 못 알아듣겠어!" 세바스찬이 말했다. 그 말에 제임스도 고개를 끄덕였다.

"자, 지금부터 내 말 잘 들어.."

엠마가 말했다.

"나랑 너, 세바스찬이랑 위지핏 하던 날에, 나하고 주디가 민원상담하러 갔던 날 기억 나지?"

"당연하지. 내가 너희한테 왜 늦었냐고 물어보니까 너희가 끝까지 대답을 안 해줬잖아."

"맞아. 그날이야. 우리가 진짜 늦은 이유를 알려줄게. 우리는 그날 민원상담을 마치고 기지로 돌아오려고 했어. 그런데 내가 기지로 가기 싫어서 막 엄청 느리게 걸었거든? 그런데 그 바람에 주디하고 내가 길을 잃어버린거야.. 그런데.. 막다른 길로 들어선 우리 눈 앞에는, 문 하나가 있었어. 달이 그려져 있고, 손잡이에는 문스톤이 박혀있는, 완전 '꿈나라'를 생각나게 하는 문이었지. 우리는 호기심에 못 이겨 그 문으로..."

"난 안 들어가고 싶었거든! 너가 막 들어가자고 했잖아." 주디가 억울한 듯 말했다.

"알겠어, 알겠어,, 아무튼 그 문으로 들어갔는데, 하얀 대리석 계단이 쫙 뻗어있는 거야. 우리는 계단을 따라 쭈욱, 안으로 들어갔지. 한 몇 분 쯤 지났나? 우리는 별로 안 걸려서 한 넓은 공간에 다다랐어. 그 공간에는 멋진 대리석 테이블이 있었어. 정말 고급스러웠지. 그런데 나는 그 대리석 테이블을 기준으로 3개의 통로로 나뉘어져 있다는 걸 알아챘어. 우린, 아니, 난 호기심에 못 이겨 나머지 2개의 통로로 발걸음을 옮겼지. 우리가 가보니, 한 통로에는 눈부신 태양이 문에 그려져 있었고, 문 손잡이에는 오팔이 박혀있었어. 그리고 다른 문에는 해골이 그려져 있고, 문 손잡이에는 흑진주 팬던트가 붙어 있었지. 지금까지 생각나는 거 없어?" 엠마가 물었다.

그러자 제임스가 대답했다.

"응! 그 문들은 각각 이승, 저승으로 이어지는 거 아니야? 오팔은 이승, 흑진주는 저승을 나타내고 말이야."

"맞아! 정확해! 그니까 내 말은..."

"그 문을 통해 이승, 혹은 저승으로 가잔 얘기지!" 세바스찬이 말했다.

"맞아. 그리고 우린 이 사람이 누군지 맞추고, 그 사람이 이승 혹은 저승, 어디 있는지 알아내고 비밀통로를 통해 그곳으로 가서 그 사람을 설득하자는 소리지." 엠마가 말을 마쳤다.

"일단 우리는 이 ＿＿＿이 누군지 맞춰야 해. 의견 있는 사람?" 주디가 말했다.

"음... 이승사람? 저승사람?" 제임스가 애매한 표정을 지으며 말했다.

"어.. 그럼 다른 의견 있는 사람?" 엠마가 사회자같이 말했다. 엠마도 애매한 표정을 지어보였다. 이럴 땐, 탈락이거나, '그건 좀 아닌 것 같은데..'라고 생각하는 것이다.

"첫째후손? 둘째후손?" 주디가 말했다.

"잠깐만!" 세바스찬이 말했다.

"죽음의 풀을 이렇게 많이 구할 수 있는 곳은 저승뿐이야. 이승에는 이렇게 생긴 죽음의 풀이 없다고 들었거든. 그리고 내가 전에 책에서 봤는데 저승의 왕이 오면 유난히 날씨가 안 좋아지고, 아기들이 많이 울고, 개들이 많이 짖는대. 그니깐 내 생각엔 답은 '어둠의 왕' 또는 '저승의 왕'인 것 같아. 어쨌든 둘다 동일 인물이니까." 세바스찬이 신중하게 말했다. 엠마는 세바스찬을 다시 봤다는 듯, 입을 벌리며 말했다.

"네 말대로라면, 우리는 저승에 가야겠네?" 엠마가 말했다.

"그럼 우린 죽어야 되는 거야?" 주디가 벌벌 떨며 말했다.

"벌써 잊었니? 비밀통로가 있잖아!" 엠마가 답은 정해져 있다는 듯, 말했다.

그들은 다시 클라우드 오페라 하우스로 돌아가기 위해 코코아 마을로 다시 돌아왔다. 그들은 코코아마을에 있는 주디의 부모님께 인사를 하기로 했다. 그래서 주디는 익숙한 집으로 친구들을 이끌었다. 집에 도착하자, 주디는 문을 똑똑 두드렸다. 그러자, 한 갈색 머리 남자와 진갈색 머리를 흰색 리본으로 묶은 여자가 문을 열고 나왔다.

"누구세요?" 부부가 말했다.

"엄마아빠, 저 주디에요. 얘네들은 제 친구들이고요. 오페라 하우스에서 같은 그룹이에요." 주디가 말했다.

"어머, 만나서 반갑다. 난 주디 엄마 엘라라고 한다."

"난 주디 아빠 톰이야."

그들이 자신을 소개했다.

친구들은 톰을 향해 놀라운 눈빛을 보내며 말했다.

"혹시 그 절벽을 오르신..?"

"맞단다. 하하하! 그런데 너희들, 왜 여기에 왔니?"

주디는 지금까지 있었던 일을 전부 그녀의 부모님에게 설명했다. 비밀통로를 발견한 일, 마법의 강이 검게 물든 일, 제임스가 절벽에 오른 일, 쪽지를 찾은 일까지. 주디의 부모님은 중간중간 안도의 한숨을 쉬거나, 놀라움을 드러내기도 했다. 주디의 아빠 톰은 주디가 자신이 어렸을 때 했던 일을 알게됐다는 이야기를 듣자 꽤 자랑스러워하셨다. 주디의 부모님이 주디의 말이 끝나자 주디에게 말했다.

"어머 주디, 다치지 않아서 다행이구나. 엄마 아빠는 네가 이런 일을 하게 돼서 정말 자랑스럽구나. 너희들도, 다치지 않고 이 여정을 잘 마무리하면 좋겠구나. 항상 응원하고 있으마."

"엄마. 잘 다녀올게요. 걱정하지 마세요.." 주디가 말했다. 하지만 그녀의 부모님은 상당히 걱정이 되는 눈치였다. 딸이 저승에 간다니.. 누가 걱정하지 않겠는가.

주디와 친구들은 주디의 부모님께 인사를 하고 기다리고 있는 택시로 향했다. 주디는 이 모험이 뭔가, 쉽게 끝날 것 같지 않을 것 같다는 생각이 들었다.

03. 보라색 강을 따라

"지금부터 어떻게 해야 될까?" 주디가 모두에게 물었다.

그들은 지금, 택시에 타고 있었다. 택시는 클라우드 오페라 하우스를 향하고 있었는데, 그들은 앞으로의 계획에 대해 서로 대화하는 중이었다.

"일단 클라우드 오페라 하우스로 가서.. 아르만도 관장님하고 같이 가야 하지 않을까? 우리끼리 가는 건 너무 위험하잖아." 제임스가 말했다.

"맞아. 아르만도 관장님하고 같이 가는 게 나을 것 같아. 그 사람들이 우리에게 무슨 짓을 할지 어떻게 알아?" 세바스찬이 말했다.

"이 참에 우리 두 나라가 평화로워지면 좋겠다. 저승에 가서 잘 설득해보자." 엠마가 말했다.

"좋아. 모두들 파이팅!"

그렇게 그들이 대화하는 사이에, 넷은 클라우드 오페라 하우스에 도착했다. 그들이 돌아오자, 텅 빈 로비에 혼자 있는 프론트 직원 제인이

급히 물었다.

"문제는 해결 한거에요? 아직 강이 검던데.." 제인이 마지막 말을 흐리며 말했다.

"아니요. 아르만도 관장님을 뵈러 왔어요. 말씀드릴 게 아주 많거든요." 주디가 말했다. 제인은 왜냐고 묻지 않고 대신 직원카드를 대신 대주었다.

그들은 먼저 아르만도 관장의 사무실이 있는 5층 사무실로 향했다. 5층까지 엘리베이터를 타고, 똑똑 노크를 한 다음, 아르만도의 사무실로 들어갔다. 안에는 아르만도가, 서류를 탁탁 부딪히며 정리하고 있었다. 아르만도가 말했다.

"누구니?"

"저희는 마법의 강 문제를 해결하러 갔던 주디, 엠마, 제임스, 세바스찬입니다. 말씀드릴 게 하나 있어서요.." 주디가 말했다.

"그래, 말해 보거라." 아르만도가 여전히 서류를 정리하며 말했다.

"아무래도 마법의 강 상류층에 죽음의 풀이 들어간 것 같습니다." 주디가 말했다.

"뭐! 확실하니?" 아르만도가 놀라서 물었다.

"네, 확실합니다. 저희가 계곡 가장 상류층에 누군가가 죽음의 풀을 무더기로 쌓아 논 흔적을 보았습니다. 그것 때문에 마법의 강이 검게 물든 것 같습니다." 엠마가 말했다.

"도대체 누가.." 아르만도가 서류를 정리하는 것을 멈추고 모두를 뚫어지게 바라보며 말했다.

"지금 저승을 다스리고 있는, 둘째의 후손이 그런 것 같습니다." 제임스가 조심스럽게 말했다.

"뭐? 우리가 평화 협상을 맺을 걸 깨고! 어떻게 그럴수가!!" 아르만도 가 심하게 화를 냈다. 모두들 아르만도가 그렇게 화를 내는 것은 처음 봐서 모두들 움츠러 들었다.

"저희가 조사를 좀 해봤습니다. 그런데 전에도 이런 일이 있었는데, 네셔널 센터에서 조치를 잘 취하지 못했다고 합니다.

그리고 이 일이 생기던 날 밤에 날씨가 갑자기 안 좋아지고, 아기들 이 울고 동물들이 짖어대는 현상이 벌어졌다고 합니다." 엠마가 말했 다.

"난 전에 이런 일이 생긴지도 모르고.. 네셔널 센터 총리와 얘기를 좀 나눠봐야겠구나.." 아르만도가 차분하게 말했지만 아주많이 화가 나 있어보였다.

"그리고 쪽지에서 자신이 있는 곳으로 찾아오라고 했습니다."

세바스찬이 말했다.

"..." 아르만도의 얼굴이 빨개졌다. 화가 극도로 나 있는 것 같았다. 마치 점점 마그마가 튀어나오는 화산 같았다.

"그런데, 저희가 생각을 해봤는데, 비밀 통로를 이용해서 저승으로 가는 건 어떨까 싶습니다." 모두들 말했다.

"오, 비밀 통로에 대해서 아는구나."

아르만도는 주디 일행이 비밀 통로에 아는 것에 대해 좀 놀라는 듯 했지만, 아르만도는 계획한 일을 그대로 실행에 옮기는 옮기는 사람이 었다.

"이제 출발할까?"

그들은 지금 비밀 통로 안에 있었다. 세바스찬과 제임스는 비밀통로에 처음 와보는 것이었으므로, 이곳저곳을 구경하고 있었다. 아르만도가 앞장섰고, 그다음은 엠마, 주디, 세바스찬, 제임스가 이어서 갔다. 아르만도는 대리석 테이블이 있는 곳으로 향하면서 친구들에게 말했다.

"얘들아, 둘째의 후손인 대쉬얼은 정말 말을 잘 하는 사람이란다. 그리고 모든 것을 자기 것으로 만들려고 하지.. 그래서 우리의 임무는 그를 설득해 평화협상을 다시 맺는 것이다."

"아.. 저희는 별로 똑똑하지 않은데.. 어쩌죠?" 주디가 말했다.

"그니까요. 저희도 도움이 돼 드리고 싶은데.. 갑자기 똑똑해 질수도 없고.." 엠마가 말했다.

"어 잠깐만! 마가르타 풀을 먹으면 똑똑해지지 않아? 우리 그걸 먹으면 대쉬얼 님을 더 잘 설득할 수 있지 않을까?" 제임스가 말했다. 제임스느 아까부터 마가르타 풀에 대한 미련을 버리지 못하고 있었던 모양이었다. 엠마가 말했다.

"와! 너희들 오늘 왜 이렇게 아이디어를 잘 내니? 근데 지금 마가르타 풀이 있어, 제임스..?" 엠마가 걱정스럽게 말했다.

"여기 있지, 당연히! 내가 얼마나 열심히 이걸 구했는데!" 제임스가 이 말을 하며 주머니에서 크리스탈 병을 꺼냈다. 아르만도가 놀라며 말했다.

"너희, 마가르타 풀을 구해온 거니? 죽음의 풀에 오염된 마법의 강을 치료하기 위해서?"

"네.. 제임스가 엄청 고생해줬어요." 주디가 말했다.

"맞아요. 제임스가 암벽등반으로 마리안 골짜기 근처 높은 절벽 위로 올라가서 이걸 구해왔다고요!" 세바스찬이 이렇게 말하자, 제임스가 쑥스러워했다.

"너희의 의지가 정말 칭찬받을 만 하구나.." 아르만도가 감격스럽게 말했다.

"그럼 우리 이제 마가르타 풀을 먹을래?" 주디가 모두에게 말했다. 그리고 덧붙였다.

"관장님, 관장님도 드실래요?"

"아니다. 나는 정정당당하게 대쉬얼과 맞서고 싶단다. 하지만 너희들은 도움이 되기 위해 여기에 온 것이니, 먹어도 된다. 그리고 열심히 고생한 제임스의 노력이 아깝잖니." 아르만도가 말했다. 말하는 사이, 모두들 대리석 테이블이 보이는 공간에 도착했다. 아르만도가 두 번째 통로로 들어갔다. 다시 통로로 들어가자, 몇 분 뒤에, 해골 모양이 그려져 있고, 문 손잡이에는 흑진주가 박혀있는 그 문이 모두의 눈앞에 보였다. 저승으로 가는 바로 그 문이.

"여기란다." 아르만도가 문을 가리키며 제임스와 세바스찬에게 말했다.

"으~ 으스스해.." 세바스찬이 말했다.

주디, 엠마, 제임스는 말은 안했지만 심장이 자꾸 위로 아래로 높이 뛰기를 했다.

아르만도가 문을 열자, 검은 천에 박혀 있는 듯한 반짝이는 별들, 그리고 으스스한 보랏빛 강이 눈앞에 펼쳐지고 있었다. 모두들 입을 쩍 벌리고 있었다. 아르만도는 아무렇지도 않은 듯 말했다.

"이제 그 친구를 보러 가자꾸나." 아르만도가 말하는 '그 친구'는 바로 둘째의 후손, 어둠의 왕이었다.

"살아있는 사람인 채로 이 강을 건너려면 금화 하나를 넣어야 한단다. 우리끼리 서로 만날 때 이렇게 하자고 약속을 했지. 비록 지금은 너희들도 같이 가지만 말이다." 아르만도가 그렇게 말하곤 미리 준비해왔던 금화를 강 속에 떨어뜨렸다. 그러자, 강 속에서 단단한 돌로 된 징검다리가 솟아나왔다. 그래서 아르만도, 주디, 엠마, 제임스, 세바스찬은 그 징검다리를 밟고 강을 건넜다. 강 건너에는 거대한 동굴이 하나 있었다. 아르만도는 과감하게 그 동굴로 들어가기 시작했다. 하지만 모두들 아르만도의 과감함과는 다르게 쭈뼛쭈뼛 동굴로 들어갔다. 동굴 속에는 많은 죽은 사람들이 살고 있었다. 모두들 각자 집을 가지고 있었으며, 이승, 꿈나라 사람들과 비슷하게 생활하고 있었다. 그들 모두 음악을 연주했고, 서로 대화하기도 했다. 하지만 그들의 공통점은, 슬프고 외로워보인다는 것이었다. 아르만도는 많은 집들을 지나쳐 쭉 안쪽으로 들어갔다. 맨 끝쪽에는 거대한 돌로 된 성이 하나 있었는데, 아르만도는 그 문을 열고 들어갔다. 문 앞에는, 한 부부가 의자에 앉아있었다. 한 남자는 회색 머리에 검은색 정장을 입고 있었고, 옆에 있는 여자는 회색 머리에 검은색 원피스를 입고 있었다. 그리고 둘 다 나이가 좀 있어보였고, 둘 다 왼쪽 손목에 흑진주가 달린 팔찌를 끼고 있었다.

"오랜만이군, 아르만도."

남자가 말했다. 남자의 목소리는 생각보다 저음이었다. 그래서 더욱 무섭고 긴장감이 흘렀다.

"대쉬얼, 왜 또 평화 협상을 어기고 이렇게 우리 꿈나라를 곤란하게 한 거지? 들어보니까 전에도 이런 짓을 한 적이 있다는데? 이렇게 우리를 괴롭히는 이유가 뭐요?" 아르만도가 극도로 화가 나서 말했다.

"그쪽이 더 잘 알텐데. 우린 단지 죽음의 풀로 그쪽 꿈나라의 사람들을 데려와 우리 저승에 생기를 많이 불어넣고 싶었다는 걸." 대쉬얼이 뻔뻔하게 말했다. 아르만도가 화가 나서 무언가를 말하려고 했는데, 주디가 말했다.

"하지만, 그동안 많은 꿈나라 사람들이 저승으로 갔는데, 왜 그쪽에는 생기를 불어넣지 못했을까요? 이건 당신이 우리 꿈나라에게 원한을 품고 있거나 다른 속내가 있다는 것을 알려주는데요. 아주 명확한 사실로, 저희 꿈나라에서 가장 중요한 것 중 하나인 마법의 강을 훼손시켜 저희를 곤경에 빠뜨리려고 했거나요." 주디가 마가르타 풀을 먹어서 그런지, 더욱더 말이 술술 나왔다.

"그런데, 따지고 볼 게 하나 있어요. 우리 조상 하늘의 신께서는 이승에는 여러 기술들을, 꿈나라에는 꿈을 만드는 방법과 마법의 강을 선물해 주셨죠. 하지만 우리 저승에는요? 아무것도 없을 뿐이에요. 이건 어떻게 해명하실 건가요?" 켄드라가 말했다.

"그래서, 이승과 꿈나라에는 있는 장점이 저승에는 없다고 해서 이런 일을 버리신 건가요? 이건 당신들의 질투에 대한 변명이에요!" 엠마가 쏘아붙였다. 그러자 부부는 아무말도 하지 못했다. 그러다가 겨우 입을 열었다.

"당신들은 그럼 무엇을 하러 여기 온 거요?" 대쉬얼이 말했다.

"저희는 단지 우리 세 나라가, 다시 평화롭게 지내는 것을 바라는 마음으로 이곳에 온 것입니다. 자꾸 이렇게 분열이 생기면 점점 우리의 세상은 망해갈 것입니다. 그러니 저희와 평화 협상을 맺고, 다시는 이런 일을 하지 않겠다고 약속해주세요. 그리고 이 일의 심각성을 깨닫고 저희에게 사과해주셨으면 좋겠습니다. 그리고 마법의 강을 원래대로 되돌려주세요." 제임스가 부드럽지만 진지하게 말했다. 그의 말투는 점점 부부의 마음을 열게 만들었다. 마지막으로 세바스찬이 말했다.

"만약, 저승 측에서 평화 협상을 해 주시고 내용을 잘 지킬 것을 맹세하신다면, 저희 쪽에선 저승 사람들을 다시 뭉치게 만드는 방법을 알려드리겠습니다." 부부는 세바스찬의 말을 듣고 점점 평화협상을 해야겠다는 생각이 들었다.

두 부부는 서로 뭐라뭐라 중얼거리더니, 몇 분 뒤에 큰 결심을 한 듯 말했다.

"그동안 자꾸 못살게 굴어서 미안하다, 아르만도. 너희가 세 나라의 화합을 원한다면야 우리는 그 조건을 흔쾌히 받아드리겠네. 그리고 우리 저승에는 절벽이 많아서 마가르타 풀이 많네. 어차피 우리 저승 사람들은 죽을 일이 없기 때문에, 마가르타 풀도 다 가져가도 되네." 대쉬얼이 말했다. 그는 말할 때 살짝 웃었는데, 그 웃음은 앞으로 저승에 찾아올 행복을 상상한 그의 웃음이었으리라, 모두들 생각했다.

"고맙군, 대쉬얼. 나도 세 나라가 평화로워지고 너희가 그렇게 해준다면야 흔쾌히 사과를 받아드리겠네. 그리고 내가 말한 저승사람들을 다시 뭉치게 만드는 방법은 바로, 소통이라네. 자네가 저승사람들과 소통을 하고 문제점을 찬찬히 해결해 나가면 저승은 분명히 행복해 질 것이라네." 아르만도의 얼굴에도 미소가 활짝 번졌다.

지금은 모두들 비밀통로 회의실에 모여있었다. 지상의 대표자인 알렉산더도 회의에 참여했다. 지상의 알렉산더, 저승의 대쉬얼, 꿈나라의 아르만도는 회의실에 각자 모여 평화협상 자료에 서명을 하고 있었다. 평화 협상 내용은 이러했다.

〈이승, 저승, 꿈나라의 평화협상 내용〉

이 평화협상에 동의하였을 시엔, 다음과 같은 규칙을 의무적으로 지켜야 한다.

첫째, 서로에게 피해주는 행동을 하면 안된다.
둘째, 1월 1일 자정에 모여 이곳에서 회의를 하며 각 나라의 문제점에 대해 토론해야 한다.
셋째, 세 나라 중 한 나라에서 발전이 이루어진다면, 다른 두 나라들에도 그 내용을 전달해줘야 한다.
넷째, 위와 같은 내용을 꼭 지켜야 한다. 이를 어길 시에는 나라의 관리자 자리에서 박탈되고, 가장 가까운 가족에게 관리자 자리를 넘겨줘야 한다.

알렉산더 (서명)
대쉬얼 (서명)
아르만도 (서명)

결론적으로 말하자면, 이 협상으로 인해 세 나라는 모두 평화롭고 행복해졌다. 꿈나라의 마법의 강은 원래 색으로 돌아왔고, 저승에서, 왕이 저승 사람들을 아끼며 종종 따뜻한 행사를 열었기 때문이다. 이 행사에서는 둘째가 저승 사람들을 위해 준비한 고민상담 들어주기, 운동회 같이 즐길 수 있는 프로그램들이 많이 있었는데, 이 행사는 저승을 따뜻하게 밝혀주는 횃불이 되었다.

오랜만에, 저승에, 아니 모든 나라에 행복이 찾아왔다.

제4부

영원한 추억

01. 크리스마스

크리스마스의 아침이 밝아왔다. 클라우드 오페라 하우스는 오페라 하우스에 크리스마스 분위기를 내려는 사람들로 북적거렸다. 그들의 공통점이 있다면, 모두들 열정적이었다는 것이었는데, 이유를 대자면, 어제 크리스마스 이브 때문에 아이들이 모두 빨리 자서 일이 한꺼번에 쏟아졌기 때문이다. 그래서 졸린 몸을 이끌고 스트레스를 풀러 온 게 분명했다. 오페라 하우스의 벽은 온갖 반짝이는 전구들과 인형들로 가득했다. 그리고 정문 앞에는 거대한 크리스마스 트리도 세워졌다. 그중 가장 열정적으로 꾸미는 사람은 제인이었는데, 프론트는 인형과 전구들로 가득한 상자로 꽉 차 있었다.

"제인, 이제 그만해도 될 것 같은데요." 눈치없는 세바스찬이 말했다. 물론 그도 하품을 하고 있었다.

"1년 중에 가장 기다려온 순간인 걸! 매일 프론트에만 앉아 있는 건 쉽지 않아, 세바스찬. 이런 걸로 풀어줘야 한다고. 그리고 최근 내 딸 티나 때문에 엄청 힘들었어. 정말 미운 7살이라더니. 매일 과자 사달라고 떼 쓴다고."

"네네"

세바스찬이 이어질 제인의 구구절절 잔소리를 듣지 않으려 대충 고개를 끄덕였다.

더러운 걸 싫어하는 에스더 팀장님은 지나가다 바닥에 떨어진 반짝이들 때문에 인상을 찌부렸고, 어린 손님들(꿈을 보러 온 사람)은 반짝이에 몸을 파묻었다.

몇몇은 얼굴이 반짝이로 번벅이 돼서 얼굴을 알아볼 수조차 없게 되었다.

* * *

"아이고, 바쁘다 바빠!"

"빨리! 그래야 주제 정하지."

"아 쉬고 싶다. 집에 가면 바로 침대로 갈거야."

오늘은 12월 24일, 크리스마스 이브이다. 오늘은 일년 중 클라우드 오페라 하우스 사람들이 가장 바쁜 날이다. 왜냐하면 오늘은 어린이들이 빨리 자는 날이기 때문에(부모님들이 빨리 자야 산타 할아버지가 선물을 주신다고 했기 때문이다), 꿈을 평소보다 많이, 그리고 더 길게 만들어야 했기 때문이다. 오페라 하우스 직원들은 처음 그 말을 지어낸 사람을 진심으로 원망했다.

24번 기지도 예외는 아니었다. 특히 그들은 가장 중요한 대본 작성부였기 때문에 더 서둘러야 했다. 그들은 고된 작업 끝에 5개 꿈을 만들었다.

대충 설명하자면, 엠마의 노트를 참고하겠다. 아주 간략하게 정리되어 있기 때문에 쉽게 훑어볼 수 있을 것이다.

1.놀이동산에 가는 꿈
특징:무제한으로 놀이기구를 탄다. 놀이기구는 어린이의 심리에 따라 달라질 수 있다.
예)마음이 혼란스러우면 롤러코스터 등.

2.게임하는 꿈
특징:하루종일 게임을 한다. 게임은 자기가 좋아하는 게임으로.

3.선물을 받는 꿈
특징:선물은 내일 받을 선물에 따라 정해진다. 꿈에서 내일 받을 선물을 받는 것이다. 일종의 예지몽.
중요:'미래' 큐브를 꿈에 첨가해야 함.

4.하루종일 방에 혼자 있는 꿈
특징:방에서 취미를 즐긴다.
예)그림 그리기, 피아노 치기 등 자신이 좋아하는 취미 생활.

5.장난감 가지고 노는 꿈
특징:3~7세 정도의 아이에게만 해당됨. 여러가지 종류의 장난감 포함.

지금부터 선물을 받는 꿈을 꾼 6살 아이인 올리버의 이야기를 시작하겠다.

* * *

내 이름은 올리버. 나는 천진난만한 6살 꼬맹이다. 난 산타 할아버지를 믿는다! 그런데 크리스마스 연휴 때문에 최근에 우리집에 놀러온 사촌형 윌리엄이 산타 할아버지 같은 건 없다고 했다. 난 아니라고, 산타 할아버지는 있다고 부인했다. 그런데 윌리엄 형이 "그렇다면 오늘이 크리스마스 이브니까 밤을 새고 누가 선물을 주는 지 봐봐! 그리고 사진까지 찍어주면 인정해줄게."라고 자신있게 말했다. 그런 윌리엄 형을 보며 엄마는 내가 들을 수 없도록 작은 소리로 형을 나무랐다.

"윌리엄, 어린 아이들의 상상을 깨지 마렴."이라고 말이다. 하지만 엄마는 내가 청력이 얼마나 좋은 지 모른다. 그래서 난 엄마와 윌리엄 형의 대화를 다 들었다. 상상? 아니다. 엄마는 잘못 알고 있는 게 분명했다. 산타 할아버지는 진짜 있었다. 역시, 이 집에선 나와 말이 통하는 사람이 아무도 없다. 클라라 빼고 말이다. 클라라는 윌리엄 형의 여동생이고 나와 동갑이다. 똑같이 6살이라는 뜻이다. 클라라는 항상 날 기쁘게 해주었다. 클라라는 날 항상 이해해 주고 내 뜻을 존중해 주었다. 아무리 터무니없는 소리라도.

아무튼 난 그날 클라라와 밤을 새서 산타 할아버지와 사진을 찍은 뒤 윌리엄 형에게 당당히 사진을 보여줘서 윌리엄 형의 코를 납작하게 만들어 주고 싶었다(클라라도 자기 오빠를 상당히 싫어했다). 난 그래서 그날 클라라와 자는 척을 하며 이불을 뒤집어쓰고 산타 할아버지를 기다렸다. 우리의 작전은 자는 척을 하다가 산타 할아버지가 굴뚝으로 들어왔을 때 일어나서 사진을 찍는 것이었다. 하지만 나와 클라라는 스르르, 잠이 들었다.

난 클라라와 같이 기차를 타고 있었다.

"취취!"

기차는 마치 재채기를 하는 듯 경적을 내뿜었다. 그 소리에 클라라와 나는 한바탕 자지러졌다. 우리가 객실에서 신나게 떠들고 있는데, 어떤 누나가 들어왔다.

그 누나는 단정한 크림색 드레스에 청자켓을 입고 있었다. 그 누나의 모든 것이 청순한 소녀 느낌을 물씬 풍기게 했다. 그 누나가 우리에게 먼저 말을 걸었다.

"안녕, 얘들아~ 만나서 반가워. 나는 실비아라고 해. 내가 여기 앉아도 될까?"

실비아 누나의 어조는 정말로 고급스러웠다. 우리가 부끄러운 듯 대답했다.

"어… 안 녕.."

"안녕! 너희는 무슨 꿈을 꾸고 싶어서 왔니?"

그러자 우리가 깨달았다. 우리는 지금 잠이 든 상태였다.

"앗! 우리는 의도치 않게 잠이 든 거야. 산타 할아버지를 만나고 싶었는데…."

우리는 지금까지 있었던 일을 모두 설명했다. 신기하게도, 실비아 누나에게 말하면 마음이 편해졌다. 클라라도 그걸 느낀 건 확실했다.

"아… 산타 할아버지를 만나는 걸 증명하고 싶었구나."

우리가 말을 마치자 실비아 누나가 말했다. 사실 실비아는 산타 할아버지가 없다는 것을 알고 있었다. 선물은 부모님이 주는 것도. 하지만 실비아는 윌리엄과 달랐다. 실비아가 말했다.

172

"산타 할아버지를 꼭 만나길 바랄께. 너무 부러운 걸!"

실비아가 밝게 말했다.

"근데 언니는 무슨 꿈을 꾸고 싶어?"

클라라가 물었다.

"난, 오늘 파라솔에서 쉬려고. 푹 자고 싶어."

실비아가 밝게 말했다.

"아, 꿈을 아예 안꾸려고?"

"응. 요즘은 그게 훨씬 편하고 좋더라고."

"아, 나도 다음엔 그렇게 해봐야겠다.

"그래."

대화가 이어지던 참, 기차에서 내리라는 소리가 들려왔다. 올리버와 클라라가 실비아에게 말했다.

"고마웠어, 누나. 누나는 참 멋진 사람인 것 같아."

"맞아. 그럼 잘 쉬어, 언니!"

올리버와 클라라는 클라우드 오페라 하우스 8번 구역으로 향하고 있었다.

둘이 오페라 하우스에 도착했을 때, 클라우드 오페라 하우스는 온 갖 크리스마스 장식과 소품들로 가득했다.

그것 본 클라라가 말했다.

"우와, 예쁘다!"

"그러게 말이야."

올리버도 홀려서 대답했다. 그곳은 정말이지 근사했다. 로비에는 거대한 크리스마스 트리가 세워졌고, 인공 눈으로 된 눈사람들도 적지 않게 볼 수 있었다.

하늘 위에는 천사 인형과 요정들이 달렸고, 벽에는 MERRY CHRISTMAS라고 적혀있는 플랭카드가 걸렸다.

올리버와 클라라가 구경을 하다 클라라가 말했다.

"우리 꿈 보러 가야지!"

"아, 맞다!"

"빨리 가자."

"응."

둘은 크리스홀로 갔다. 그곳은 크리스마스 시기에만 여는 크리스마스 전용홀이었으므로 정말 꿈 오페라들이 많았는데, 올리버와 클라라는 '어린이'라고 적혀있는 곳으로 갔다. 그중 마음에 드는 것을 골라 같이 보기로 합의하는지는 오래 걸리지 않았다. 둘은 정말이지 호흡이 잘 맞았기 때문이다.

"이거 보자! 내일 선물이 뭐 나올지 알게 해주는 꿈!"

"오, 재밌겠다. 내일 엄마한테 말하는 거야. 예를 들어서, 엄마 오늘 선물 미니자동차죠? 하고 말이야. 윌리엄 형이 엄청 부러워 하겠지?"

올리버가 싱글벙글 웃으며 말했다.

"진짜 재밌겠다!"

"우리 그럼 빨리 들어가자."

"응!"

둘은 뮤지컬에서 본 걸 믿을 수가 없었다. 산타 할아버지가 창문을 열고 들어와서 올리버와 클라라에게 다가가고 있었다. 그리고 산타 할 아버지는 올리버에게는 로봇을, 클라라에게는 인형을 주었다. 클라라 와 올리버는 지금 당장 깨고 싶었다. 그래서 둘은 크리스홀에서 뛰쳐나 와, 오페라 하우스에서 빠져나왔다.

…라고 할뻔! 프론트 직원 제인에게 가로막혔다! 제인은 우리에게 꼭 꿈 값을 지불하란다. 우리는 모자를 끼고 생각했다.

'놀라움!'

'놀라움!'

'놀라움!'

주황색 큐브가 3개나 연달아 나왔다. 우리는 그러고선 황급히 기차 를 타고, 다시 집으로 돌아왔다. 둘은 깨어있었다. 산타 할아버지는 깬 둘을 보고 나자빠질 뻔 했다. 산타 할아버지는 그들은 번쩍 들어서 안 아주었다.

"안녕, 클라라, 올리버!"

"산타 할아버지! 사진 찍어주세요! 얼른요!" 올리버가 이때다 싶어 말했다.

"그러마. 사진기가 어디있니?"

"여, 여기요!"

클라라가 헐떡이며 책상 위에 있던 사진기를 산타할아버지에게 건넸 다.

"그래. 찍어주마."

"찰칵!"

사진이 찍혔다.

"감사합니다!"

클라라와 올리버가 힘차게 대답했다.

"그럼 난 가마!"

산타 할아버지가 웃으며 말했다. 그리고 그는 창문으로 빠져나갔다.
산타 할아버지가 간 뒤 올리버가 말했다.

"우와, 장난 아니다! 우리 윌리엄 형한테 내일 자랑하자!"

"그래!" 클라라가 대답했다.

둘은 곧 잠이 들었다. 그들은 다시 기차를 탔지만, 관두고 실비아처
럼 그냥 파라솔에서 쉬기로 했다.

"여보, 괜찮아요?"

"아우, 이 옷이 상당히 덥네. 아, 사진까지 아주 잘 찍어주고 왔어요.
올리버가 좋아하더만. 하하!"

"다행이네요. 잠들어 있었어요?"

"어. 근데 갑자기 깨더라고. 진짜 타이밍이 캬하, 완전 기가 막혔다니
까. 요녀석이 산타 할아버지가 그렇게 보고 싶었나."

"윌리엄이 사진을 찍고 자기한테 보여주라고 해서 제가 나무랐어요.
그 녀석은 장난끼가 어찌나 많은지…"

"형도 그랬는걸요, 뭐. 다 타고 나는거지. 아무튼 여보, 이제 자러 갑
시다."

"네."

아무도 보지 못했다. 창문 사이로 지나가는 산타의 모습을. 산타는 이렇게 중얼거리고 있었다.

"이번만큼은 내가 같이 사진 찍어주고 싶었는데. 근데 요즘은 엄마 아빠들이 선물을 줘서 참 편하다니까."

* * *

그들은 대본을 쓰고, 쓰고, 또 썼다. 대본을 다 썼을 때는 모두들 손에 물집이 생기고 하품을 멈출 수 없는 수준이 되었다. 바닥에는 빈 캔커피 통이 여러 개 널브러져 있었다.

힘든 일에도 불구하고, 크리스마스에는 1에서 10구역 모두 즐거운 분위기가 풍겼다. 각자 기지에서 자유롭게 활동해도(놀아도) 된다고 했기 때문이다. 어떤 기지에서는 영화도 보고, 어떤 기지에서는 그림도 그렸다.

주디는 출근했을 때 큰 크리스마스 트리에다가 '연말 꿈 대회에서 언젠가 우승하게 해주세요.'라고 빌었다.

24그룹에서는 엠마와 세바스찬의 팽팽한 위지핏 결투가 펼쳐지고 있었다. 엠마도 점점 실력을 키워갔기 때문에 세바스찬도 방심하면 바로 졌다. 엠마의 카드가 잘 나와서 엠마가 이기는 것이 뻔한 게임이었지만, 세바스찬은 엠마에게 지는 굴욕을 겪고 싶지 않았기에 아주아주 열심이었다. 결국 엠마가 이겼고, 주디는 다행이라고 생각했다(엠마가 지면 24그룹에 장마가 올지도 몰랐다).

02. 연말 꿈 시상식

연말 꿈 시상식 날의 아침이 밝아왔다. 클라우드 오페라 하우스는 누가 우승을 하게 될지 서로 예측하는 대화가 꼬리의 꼬리를 물고 이어졌다.

"내 생각엔 이번엔 데보라야. 나 어제 그 꿈 꾸고 안 깨고 싶었다니까!" 한 여자가 말했다.

"아니야, 내 생각엔 조아나라니까! 몇 년만에 꿈을 낸 거야.. 아무튼! 조아나가 확실해! 정말 생생하고 아름다운 꿈이었어." 한 남자가 말했다.

연말 꿈 시상식은 클라우드 오페라 하우스 대회의실에서 열렸는데, 그 규모가 상당해서 전 직원이 다 들어갈 수 있을 정도였다. 주디는 그곳에 '개방' 큐브를 조금 넣었을 것이라고 생각했다.

"지금부터 제 875회 클라우드 오페라 하우스 연말 꿈 시상식 시작하겠습니다. 먼저 여기 모여 주신 모든 분들에게 감사의 말씀을 전하겠습니다."

아르만도가 말했다. 대회의실에는 유명한 드림 메이커들이 정말 많았다. 조아나 러셀, 벤자민 피니건, 제시카 존슨까지. 그 외에도 아주 다양한 드림 메이커들이 있었다. 아르만도는 그들에게 눈인사를 하고 다시 말을 이었다.

"이제 연말 꿈 대회 준비작의 이름이 붙어있는 꿈 USB를 이 박스 안에 넣어 주십시오." 여기서 꿈 USB란, 오페라나, 뮤지컬, 연극을 한 영화처럼 만들어서 쉽게 볼 수 있게 하는 것이었다. 심사위원들은 자신들 앞에 놓여있는 노트북에 꿈 USB를 꽂아서 오페라, 뮤지컬 또는 연극을 심사할 예정이었다.

아르만도가 회색 박스를 탁자 밑에서 꺼내며 말했다. 엄청나게 많은 사람들이 자신의 그룹을 대표하여 종이를 회색 박스 안에 넣었다.

그 중에서는 24그룹의 주디도 있었다. 주디는 종이를 내고 오고 소리쳤다.

"아, 진짜! 너무 떨린다, 이거."

어제 그들은 연말 꿈 대회 준비작으로 뭘 낼지 고민하다가 '행복했던 순간이 나오는 꿈'을 내기로 했다. 뭔가 뭉클하다고, 엠마가 말했다.

대회의실은 곧 아주 소란스러워졌다. 서로서로 "넌 무슨 꿈 냈어?" 같은 질문들이 오갔다.

아르만도가 웅성거리는 사람들에게 말했다.

"모두들 조용!!"

그의 한마디는 대회의실 전체에 긴장감을 맴돌게 했다.

"심사위원들을 발표하겠습니다. 루나 와이즈맨, 니콜라 베베로, 프랜시스 왓슨……그리고 하워드 존스가 맡기로 했습니다. 모두 45명이죠."

아르만도가 말했다.

"지금부터 심사를 시작하겠습니다."

긴장감이 대회의장을 감쌌다. 1시간 정도 지나자, 모두 점점 지루해졌다. 그리고 한참 뒤, 아르만도가 결과를 발표했다.

"결과를 알려드리겠습니다. 미술작: 바람이 부는 평화로운 언덕의 조아나 러셀, 축하합니다. 심사평 말씀드리겠습니다. "조아나 러셀은 바람이 부는 언덕을 아주 멋진 방법으로 나타냈다. 그녀의 꿈에서는 아름다운 풍경뿐만 아니라 수많은 감정이 들게 만드므로, 이 상을 수여한다."

조아나가 단상 위로 올라갔다. 조아나는 우승 트로피를 받고 나서 소감을 발표했다.

"제가 이렇게 오랜만에 우승을 하게 되네요. 정말 감사합니다." 조아나가 눈물을 흘리며 말했다. 맞았다. 그녀는 신작을 안 낸지 정말 오래돼서 4년만에 우승을 한 것이었다. 한번 조아나를 본 적이 있는 주디, 엠마, 제임스, 세바스찬은 조아나 님을 진심으로 축하해줬다.

"다음, 기발한 명작: 위인이 돼보는 꿈을 만든 데보라 벨! 축하해요. 심사평을 말씀드리겠습니다. "데보라 벨은 위인이 되보는 꿈으로 위인의 삶을 더 이해하고, 겪어볼 수 있는 기회를 훌륭하게 표현해냈으므로 이 상을 수여한다."

데보라 벨은 약간의 보라색 머리를 가진 여자였는데, 이 사람도 클리앙 작가였다. 그리고, 그녀는 다른 사람이 돼보는 꿈을 만드는 작가였다.

180

"다음! 3구역 73그룹, 축하합니다! 심사위원들이 작품을 극찬하셨습니다. 어쩌고 저쩌고.." 아르만도는 주저리주저리 설명을 했다. 아르만도는 그 외 몇 명의 사람들을 더 발표하더니, "이제 곧 시상식을 마무리 하도록 하겠습니다."라고 말을 해서 모두를 실망하게 만들었다. 속으로 기도하고 있었던 주디는, 아쉬웠지만 이렇게 생각했다. '신입사원인데 어떻게 우승을 하겠어. 위대한 드림메이커들도 수많은 좌절을 경험했다고 하지. 이번 기회에 내년에는 더 발전하고 성장한 주디가 되어야겠다.'

"아 참, 가장 중요한 시상식 발표를 안했군요!" 아르만도가 말했다.

"이번 마법의 강이 검게 물들었을 때, 용감하게 나서준 네 친구들이 있었습니다. 그리고 이 험난한 여정을 꿋꿋이 버텨내기도 했던 인물들이기도 하죠. 소개합니다. 주디, 엠마, 제임스, 세바스찬!" 아르만도 관장님이 그들을 향해 활짝 웃어보이며 말했다.

"지금부터 훈장 수여식이 있겠습니다. 현명한 판단으로 팀을 이끌어 나갔던 주디, 그리고 이 문제에 대해 누구보다도 철저하게 조사한 엠마, 그리고 훌륭한 암벽등반 실력을 발휘해 바가르타 풀을 구해낸 제임스, 그리고 톡톡 튀는 아이디어들로 팀을 위기에서 구해줬던 세바스찬! 모두들 용감하게 꿈나라를 위해 나서준 것에 대해 마땅히 존경받아야 하므로 이 훈장을 수여합니다." 아르만도가 말했다. 대회의실에 있던 모두들 그 신입사원들이 이런 일을 해냈다니, 하는 표정으로 그들을 쳐다봤다.

모두들 놀라서 아무 말도 하지 못하고 서 있자, 아르만도가 말했다.

"어서 단상 위로 올라오렴!"

"네!" 친구들은 아르만도에게 그렇게 말하고 단상 위로 올라왔다. 아르만도는 구름처럼 생긴 배지를 넷에게 각자 나누어주었다.

"이 훈장을 수여받은 너희들은 꿈나라에 큰 기여를 한 사람이므로 다시 한번 축하하마." 아르만도가 미소지었다.

"감사합니다! 앞으로도 꿈나라에 도움이 되는 사람이 되겠습니다!" 모두들 다짐했다.

이로써 제 875회 연말 꿈대회가 막을 내렸다.. 주디는 아직도 훈장을 받은 게 얼떨떨해서 배지를 만지작거리고 있었다. 주디는 모험을 떠난 것이 뜻깊었다는 생각을 하며, 영원히 잊을 수 없을 듯한 그 모험에 대해 다시 한번 떠올려봤다.

주디, 엠마, 제임스, 세바스찬은 다시 기지로 향했다.

주디는 기지로 향하는데, 말소리가 들려서 고개를 돌렸더니 휴식실에서 에스더 팀장의 자신만만한 목소리가 들려오고 있었다.

"에스더, 정말 부럽다. 신입생이 그런 훈장도 받고."

3번 구역의 팀장인 셀리나가 말했다.

"처음부터 알아봤어. 정말 성실하고 영리한 친구들이야."

에스더가 자랑스럽게 말했다.

"어머머, 진짜 훈장을 받았단 말이야?"

5번 구역의 오펠리아가 수선을 떨었다.

그들의 수다에 주디가 슬며시 미소를 지었다. 주디는 배지를 꼭 쥐었다. 기지에 도착했을 때, 세바스찬이 우리가 위인전에 나올거라며 자꾸 떠들어대서 모두들 미뤘던 잠을 청하지 못했다.

주디는 앞으로 클라우드 오페라 하우스에 있을 여정, 그것이 바로 주디에게 남겨진 과제라고 생각했다. 멋지게 꿈을 향해 다가갈, 주디의 미래이기도 했다.

epilogue

에필로그

오늘도 8구역은 시끌벅적했다. 새 해를 맞이한 클라우드 오페라 하우스에는 행복한 분위기가 풍겼는데, 새해 카운트 다운을 보기 위해 대부분 늦게 잔 사람들 덕분이었다.

주디는 저번 연도에 있었던 일을 되새기고, 또다시 맞이할 한 해를 기대하며, 새 해를 맞았다. 주디는 1년동안 아주 많은 일이 있었다는 생각을 했다. 앞으로도 그럴 거고 말이다.

하지만 이것만은 확실했다. 점점 시간이 지날수록 성장해나간다는 사실과 앞으로 주디는 꿈을 향해 열심히 달려갈 거라는 사실.

주디는 새해 소원으로 "내년에 더 성장한 저를 만나게 해 주세요."라고 빌었다. 앞으로 한해동안 무슨 일이 펼쳐질지 궁금해하며, 주디는 엠마, 제임스, 세바스찬이 기다리고 있는 기지로 향했다.

작가의 말

안녕하세요, 이 책의 지은이 정이령입니다.

전 수석선생님의 권유로 책을 쓰게 됐는데 그때부터 무엇을 주제로 할지 고민하기 시작했던 것 같아요. 전 매일매일 책 생각만 하다가 제 침대 옆에 있는 세계지도 속의 호주의 시드니 오페라 하우스를 보고 오페라 하우스를 바탕으로 지어야겠다고 생각했습니다.

제 설명에도 나왔듯이 제가 여행 가는 것을 무척 좋아하거든요. 세계를 탐험하며 새로운 것을 보고 느끼고 배우는 게 제가 여행을 좋아하는 이유랍니다. 그런데 제가 가장 가고 싶었던 여행지는 바로 호주였습니다. 왜냐하면 호주는 우리나라와 계절도 반대인 데다가 우리나라에는 없는 캥거루나 코알라 등의 동물들이 아주 많아서 저를 끌어당기기에 충분했죠.

이 책에 제가 사랑하는 가족들의 생일이나, 에피소드를 종종 볼 수 있을 것입니다. 예를 들어서, 제 어린 동생이 밤에 잠을 자러 갈 때 차를 타러 가는데, 그 때 엄마, 아빠께서 '꿈나라 기차타러 가자'라고 말하시기 때문에 이 책에도 기차를 타고 꿈나라를 가는 형식으로 썼습니다.

또한 이 책에서 제가 책을 쓰기 시작했던 2023년의 제 반 번호인 8과 24를 자주 볼 수 있으실 겁니다. 그것은 책을 읽다가 5학년 때 추억을 떠올리면 좋을 것 같아서 그렇게 썼습니다.

결론적으로는 이 책의 배경은 호주와 저희 가족입니다. 이 두 가지에는 제가 좋아하고 사랑하는 것이라는 공통점이 있습니다.

그러면서 즐거운 마음으로 타자기를 두드렸던 것 같아요. 처음엔 쉬울 줄 알았는데 열심히 책을 쓰다보니 '내가 이만큼밖에 안 썼다고?' 같은 생각이 많이 들었어요. 책을 쓰는 데 어려움을 겪기도 했고요. 그런 어려움을 통해 책을 쓰는 것은 나를 알아가는 방법이자 또 하나의 어려움을 극복할 수 있는 방법을 제게 알려줬어요. 나중에 이 책을 볼 때 침대 위에서 즐겁게 책을 쓰고 있는 절 떠올리면 좋겠네요. 마지막으로 이런 소중한 경험을 하게 해주신 수석선생님께 정말 감사드리고 항상 저를 격려해주시고 제게 여행을 가게 해주신다는 소중한 경험을 하게 해주신 부모님, 그리고 같이 책을 썼던 친구들도 너무 고마웠다는 말을 전하고 싶네요.

이제 이야기의 진짜 막을 내립니다.

2024년 3월 17일 일요일 정이령